ДЕКОРАТИВНО-ПРИКЛАДНОЕ ИСКУССТВО МОНГОЛИИ

MONGOLIAN ARTS AND CRAFTS

ARTS ARTISANAUX DE LA MONGOLIE

ARTE DECORATIVO APLICADO DE MONGOLIA

АВТОР : Н. ЦУЛТЭМ
AUTHOR : N. TSULTEM

РЕДАКТОР : Д. БАЯРСАЙХАН
EDITOR : D. BAYARSAIKHAN

ГОСИЗДАТЕЛЬСТВО, УЛАН-БАТОР
STATE PUBLISHING HOUSE, ULAN-BATOR
SECTION DE LA PUBLICATION D'ÉTAT, OULAN-BATOR
SECCIÓN DE LA PUBLICACIÓN DEL ESTADO, ULAN-BATOR

1987

ФОТОСНИМКИ : Т. СУГИЯМА
Д. ЧУЛУУНБААТАР
FOTO : T. SHUGIYAMA
D. CHULUNBATOR

ДЕКОРАТИВНО-ПРИКЛАДНОЕ ИСКУССТВО МОНГОЛИИ

Монгольская Народная Республика расположена в центре азиатского материка. На этой территории с глубокой древности жили различные племена и народы, сменяя друг друга, ассимилируясь между собой, иногда исчезая насовсем. Но декоративно-прикладное искусство и ремесло их передавалось из поколения в поколение, оставляя отпечаток на все стороны быта, жизни, сознания, эстетического и философского мышления.

Ученые монголоведы полагают, что вторая половина 2-го тысячелетия до новой эры отмечена в Монголии как период высокого развития металлоплавления и появления знаменитого карасукского стиля в искусстве, о чем свидетельствуют изображения скульптурных голов диких животных с длинными ушами, большими глазами, огромными рогами на бронзовых ножах, кинжалах, шильях, навершиях и на других предметах. Центром распространения и производства карасукских бронз были Монголия и Ордос, откуда эти формы продвинулись в Иньский Китай и в Южную Сибирь.

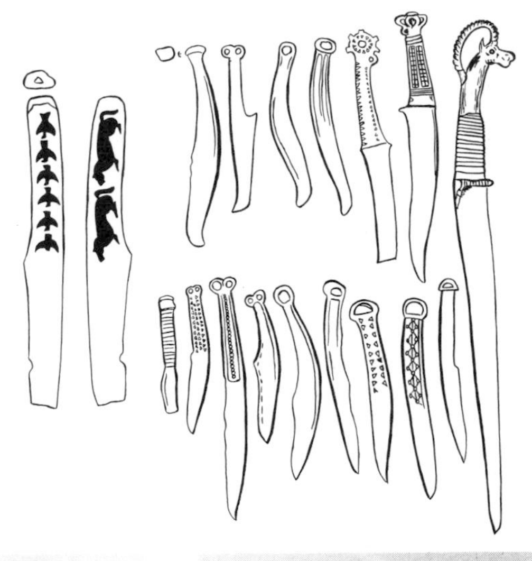

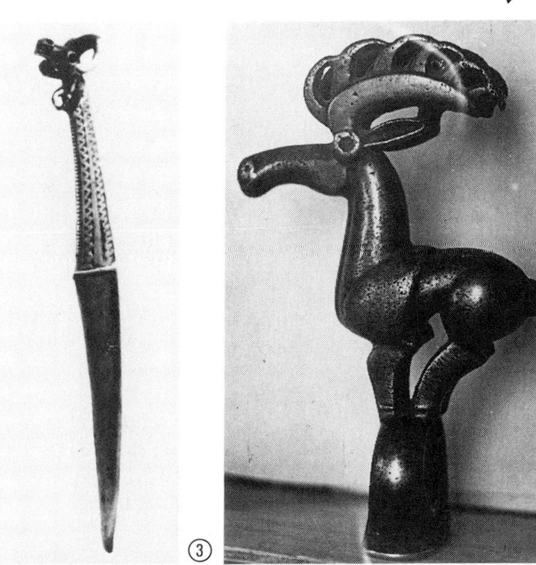

Ранней формой религии у всех палеоазиатских племен было шаманство, поклонение духам природы, обожествление и одушевление её. Древние люди имели своих племенных тотемов, почитали и молились им. Из дерева они вырезали разнообразные предметы шаманского культа, представляющие собой зверей, птиц, животных, которые можно отнести к подлинным произведениям художественной резьбы, аппликации, украшенных орнаментом в особом ритме и сочетании.

С распространснием и господством буддизма дскоративно-прикладное искусство и ремесло подверглось влиянию религии, появились элементы индийского, тибетского, непальского искусства. Иконостасы /гунгэрва/, сосуды для подношений божествам, курильницы и другие изделия, музыкальные духовые и ударные инструменты, употреблявшиеся при богослужениях, являлись творением умельцев народного ремесла. Каждый мастер, согласно своему таланту, способностям сочинял и создавал их, что открывало широкую возможность для развития творческой фантазии и проявления художнической индивидуальности.

Разнообразием и богатством отличаются, в особенности, предметы быта, выражающие мировоззрение человека.

Основное жилище кочевников-юрта, убранство её и декор представляют собой целую галерею декоративно-прикладного искусства.

В легендах и сказаниях часто встречаются песнопения, восхваляющие юрты и дворцы. Так, о дворце богатыря Улан Бодона говорится:

> "На верхнем бруске двери высечены
> Павлины и фазаны с вытянутыми шеями,
> На нижнем бруске двери высечены
> Коршуны и турпаны, играющие в выси . . .
> Юрта эта богатая, счастливая
> На четырех крепких березовых подпорках /багана/
> На крепких подпорках — колоннах
> Барс и лев теснятся на виду . . ."

В историческом повествовании XVII века — в биографии Равчамба Зая, о его юрте говорится: "Круг и уни юрты для зайсана Балгажа Увшанз мастерили серебряными украшениями, их красил и полировал Шидорч, стены /хана/ были покрашены в разные тона, дверь юрты складная с железной обшивкой, покрывало юрты вышито красным и зеленым казахским сукном . . ."

Юрта, её форма, конструкция, роспись и утварь, проверенные временем и образом жизни, дошли без изменений до наших дней.

Различные монгольские племена отличаются по одежде и её украшениям. Монгольская поговорка

⑤

“Одежда — бог, тело — дьявол” исходит из благородного нравоучения, что одежда, её украшения должны быть к лицу и подобраны со вкусом.

В Монголии было очень много видов, фасонов национальной одежды и известно, что одни лишь головные уборы составляют более ста видов — женские, мужские, детские, для духовных лиц, для обрядов, парадные, для повседневного пользования и т.д. Правильный покрой одежды, её отделка, шитье, вышивание были обычным занятием для женщин, а пошив головных уборов различного фасона, сложный вид вышивок, аппликаций из цветной кожи — были делом рук мужчин — искусных мастеров.

Искусство монгольских народных умельцев по способам изготовления можно подразделить на более чем двадцать видов: кузнечные изделия из железа и бронзы, литье из этих металлов, художественная резьба деревянных изделий, орнаменты и аппликация по коже, рельефные надписи, художественное шитье, чеканка по золоту, серебру, скульптура и т.д.

Почти каждый хошун, аймак страны, как правило, славился своими мастерами одного из видов художественного ремесла, например, княжество Далай Чойнхор вана отличалось своими кузнецами, Сайн ноён хана-художественной резьбой, Дариганга — мастерами чеканки по серебру, Урга — аппликациями, изготовлениями ксилографий для печатания, живописью и т.д.

⑥

Монголы веками создавали свои национальные орнаменты, которые являясь выражением художественного интеллекта народа, отображают чувства прекрасного в природе и жизни, отличаются приподнятостью повествования, глубоким содержанием и служат основой во всех видах народного ремесла и искусства. И за всю историю своего существования орнамент выкристализировался в наиболее типичные виды: ЗООМОРФНЫЙ — эвэр угалз — роговидный, в котором сочетались, переплетались и соединялись фантазией народа рога архара, воловьи ноздри, птицы и т.п. РАСТИТЕЛЬНЫЙ — в основу которого народ вложил форму листьев, цветов, травы, деревьев, веток, кустарников. ЯВЛЕНИЯ ПРИРОДЫ: форму облаков, туч, гор, дыма, пламени, волн и т.п. ГЕОМЕТРИЧЕСКИЙ орнамент — меандры, свастика, “улзий” круглой и ромбовидной формы, орнаменты, имеющие прямоугольные формы, могут быть переплетены между собой.

Орнаменты не являются самостоятельной областью, а считаются неотъемлемой деталью всех основных видов народного изобразительного творчества, служат элементами отделки и украшением, содержат глубокий символический смысл. Например, монголы на дверях или на других предметах домашнего обихода рисуют орнамент “улзий” — чтобы благополучие сохранялось в семье. Старинные орнаменты лаконичны по цвету, обычно их писали синими, черными и красными минеральными красками, но один и тот же цвет могли применять в различных оттенках.

⑦

С давних времен в монгольском народе появилось почтительное отношение к мастеровому люду — дарханам — кузнецам, они пользовались особым положением в обществе. Люди из рода дарханов обычно всегда обладали какими-то талантами, были искусными мастерами, умельцами.

Рашид-ад-Дин, иранский ученый XIII века, доносит до нас предание о монгольских племенах, живших около двух тысяч лет назад. Оно гласит о том, что одно монгольское племя в битве с другими было целиком уничтожено, остались только двое мужчин и две женщины и они были вынуждены бежать из родных мест. Долго шли они по горным тропам и труднодоступным местам, наконец, дошли до большой, просторной котловины среди гор, богатой злаками и дичью. Они остались там жить навсегда. Через несколько сотен лет им стало тесно там, ибо это был уже целый народ. И решили они искать выход из этой горной долины. У них

⑧

был железный рудник, где плавили железо. Там они стали пробивать выход. Набрали в лесу много дров и угля, из шкур семидесяти лошадей и быков пошили огромные кузнечные меха, развели большой огонь и расплавили железную гору и вышли из горной долины в широкую степь. Г.Е. Грум-Гржимайло, путешествовавший в начале века по западной Монголии и Урянхайскому краю, в своих записях отмечал особое значение кузнечного дела среди других народных ремесел Монголии. Когда в кузницу заходил чиновник, то кузнец мог не отрываться от работы и не приветствовать его, ибо по обычаю считалось, что кузнечное дело родилось намного раньше чиновника. Во всех аймаках кузнечное ремесло имело одинаково широкое развитие и было кастовым, передавалось из поколения в поколение по наследству и имело свои семейные секреты ремесла. Большинство кузнецов было людьми талантливыми и универсалами. Они умели делать всё: от ободов на колеса телег, хитроумных замков, таганов, различной металлической домашней утвари до отделок и украшений для конского снаряжения, до пластинчатых кольчуг, орнаментов на колчаны для стрел, декоративные компоненты из серебра для женской и мужских одежд — бляхи, подвески, орнаментированные серебром ременные пояса, мужские наборы, в которые входили стальные ножи с богатыми ножнами, стальные огнива, палочки для еды, зубочистки, щипчики для выдергивания волос, трубки для курения, уховертки и пр. пр. Описание работ умельцев выглядит так: "разбивают чистое серебро в весьма тонкие листы и, по сделанным из бересты образцам, вырезают из них птиц, зверей и другие изображения. Накладывают серебряные вырезки и насекают их в раскаленных горнах молотками с шероховатыми бороздками на уздечки, седла и на колчаны, и серебро пристает к железу так крепко, что никогда не

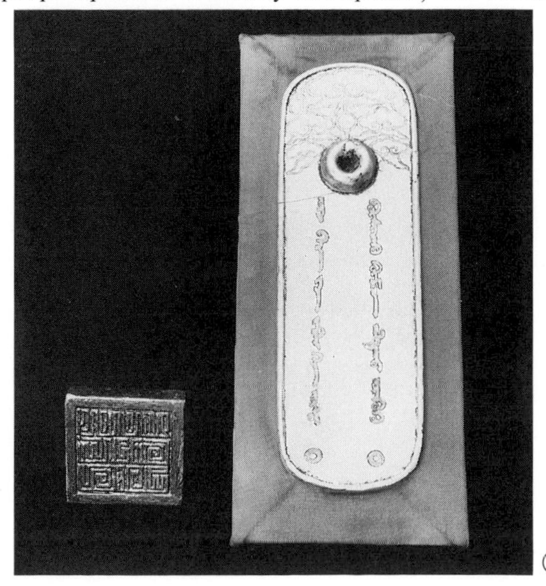
⑨

⑩

отваливается. Напоследок работу воронят через огонь и выглаживают углем". Художественная резьба по металлу далеко выходила за рамки декоративного предназначения. Умельцы создавали сложные фигуры буддийских божеств размером до 40 см. Эти несравненные изваяния были отшлифованы до синеватого оттенка и были блестящими как стекло — так отзывались люди, видевшие их. Недаром в старинных сказаниях и легендах говорится, что "фигуры сделаны белее серебра, отшлифованы глаже льда, украшены редкими самоцветами".

Ювелирные работы были распространены по всей Монголии. Чаще всего мастера украшали медные и железные изделия золотыми и серебряными орнаментами, а позже, когда стали использовать золото и серебро для украшений, покрывали тонкие серебряные пластинки сложным рельефным орнаментом — из серебряных нитей выполнялись причудливые, затейливые переплетения национальных узоров — монгольская филигрань. Головные украшения, короны, зажимы, накладки, заколки для причесок, подвески халхасских, дарингангских, узэмчинских, бурятских женщин и женщин западной Монголии обычно изготовлялись на серебряном остове с филигранными орнаментами из золота и серебра с вкраплениями кораллов, бирюзы и других драгоценных камней. Это тонкое и сложное ремесло в талантливых руках народных мастеров часто поднималось до высокого ювелирного искусства.

Достойна восхищения художественная резьба по металлу монгольских мастеров; изделия их могут соперничать с тончайшей резьбой по сандаловому дереву и по слоновой кости художников Индии и Китая. В музеях МНР имеются ножи в ножнах и огнива, различ-

⑪

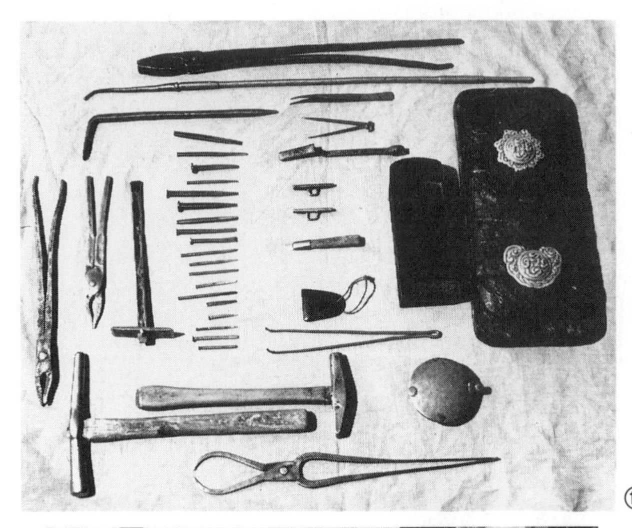

⑬

ные футляры, печати монгольских чиновников, курительные трубки и принадлежности к ним, на которых искусно вычеканены 12 животных монгольского календаря, рельефные орнаменты, эмблема и титульные названия, в некоторых применена золотая инкрустация.

С бронзового века у монголов сохранилась традиция литейного мастерства, а в конце XIX века широкое распространение получило литьё из цветной бронзы, латуни и из сплавов с примесью меди. Отливали ритуальные музыкальные инструменты и другие предметы культа, кадила, курильницы. Различные колокольчики, гонги ручные и висячие изготовлялись литьём. Каждый мастер владел своим собственным секретом отливки и настройки. Так все шестьсот колокольчиков, отлитые известным мастером из Урги Дагвадоржем в начале XX века, отличались друг от друга оформлением, отделкой, орнаментом и своим особым звучанием. Хорошо отлитый и верно настроенный колокольчик—дэншиг издает удивительно чистый и мелодичный звук, который долго вибрирует и звучит как

⑫

⑭

камертон. При отливке сложных произведений большого размера применялся способ перегонного литья, инструкцию для которого в свое время написал великий монгольский скульптор XVII века Г. Дзанабадзар. На протяжении долгих лет ею пользовались многие мастера—литейщики, в том числе и Дагвадорж.

Монголы с давних времен всегда сами изготавливали из дерева домашнюю утварь: юрты, телеги, сундуки, шкафы, ведра, посуду, музыкальные инструменты и т.д. Резчики вырезали шахматы, хоролы /национальные игрушки/, фигурки домашних животных, клише для печатания книг и бурханов, предметы тонкой художественной работы.

⑮

⑯

⑰

⑱

Монгольские столяры, плотники, краснодеревщики особое внимание уделяли правильной сушке и обработке дерева. Мастер заботился о качестве материала, когда дерево ещё стояло в лесу на корню, с него снимали кору, долго сушили, потом спиливали и вынимали сердцевину, в речной воде смывали смолу, если было нужно, то её вываривали в воде. Некоторую утварь, например, корыто для водопоя скота, различные ступы выдалбливали из твердого дерева; ложки, пиалы, корытца для мяса, мешалки, различные половники и другую необходимую посуду резали из цельного дерева, предпочтительно из осины, поскольку она не давала посторонних привкусов. Плотники умело использовали природные качества деревьев, например, для изготовления гнутых изделий — тооно — верхнего круга юрты — летом срезали одну половину ствола березы и, когда она высыхала на корню, то гнулась в ту сторону, где ствол оставался несрезанным.

Для художественной резьбы использовались береза, сосна, кизил, крушина, корни можжевельника, т.е. подбирались такие породы деревьев, которые сохраняли влажность в течение года. Для тонкой резьбы также использовалось сандаловое дерево, красное, эбеновое и др.

Изготовление монгольских национальных музыкальных инструментов издавна относится к народному художественному ремеслу. В истории Юаньской династии сказано, что во дворце императора Тогон Тэмура был симфонический оркестр в составе 312-ти человек. Г. Бадрах в своем очерке писал, что монгольские музыкальные инструменты в большинстве своем струнные — щипковые и смычковые. Во всемирно известном монгольском героическом эпосе "Жангар" о супруге Жангара Агат говорится: "Когда в руки брала она высокую серебряную ятгу с 91 струной, раздавались крики лебедихи, снесшей в камышах яйцо, утки, снесшей яйца в зеркалах озера"... Самым распространенным народным музыкальным инструментом был моринхур. Грифы моринхуров гордо венчают одна, две или три выразительных, прекрасных лошадиных головы, под ними иногда вырезали голову дракона. По бокам квадратного корпуса, на ушках — колках, на смычке вырезали красивые орнаменты. Есть ещё такой инструмент — шанаганхур, который выдалбливали из цельного куска дерева или же склеивали из тоненьких дощечек. Орнаменты на нём не вырезали, а наклеивали из тонких пластинок дерева. Создать настоящий шанаганхур мог только очень опытный мастер.

Деревянные клише для печатания книг и рисунков изготавливали из плоских досок, но чтобы избежать деформации, резьбу наносили с 4-х сторон на квадратной или прямоугольной доске в длину. Мастера предпочитали и высоко оценивали резьбу цельных фигур, чем плоские орнаменты и барельефы. Считали, что резьба должна четко выделять живую природу: людей, растений и животных, и такая резьба приобретала большую художественную ценность.

Монгольская резьба отличается своей монументальностью. В шахматных фигурках, находящихся в Музее изобразительных искусств, ловко вырезан верблюд и, хотя он размером меньше спичечного коробка, выглядит внушительно, монументально.

В начале 20 века а Ургу были созваны со всей страны прославленные мастера — резчики для выполнения больших государственных заказов религиозного значения, таких как: создание уменьщенного храма — обиталища небесных буддийских божеств: Дуйнхорын Лойлин, Авидийн Шангад, представляюшие собой архитектурные ансамбли со всеми сложными атрибутами, создания деревянных клише более трехсоттом-

⑲

ного Ганжура и Данжура — сборников индотибетских ученых трактатов по многим отраслям знаний: по литературе, искусству, астрономии, философии, логике, медицине, математике, теологии и т.д. В Ганжуре было 1260, в Данжуре 3427 разделов. Каждый из них имел по 500–600 страниц размером 80×24. Все эти работы были прекрасно выполнены в предельно малый срок.

Резчики работали и в других материалах — по кости, камню, янтарю. Для украшений на одежды религиозной мистерии-цам в Урге делали костяные украшения так: вываривали кости верблюда, после чего они становились белоснежными и эти белые кости шли на бижутерию.

Издавна мастерами художественной вышивки были женщины, искусно владевшие иголкой и нитками. Это обширное звено народного ремесла в свою очередь делилось на художественную вышивку, аппликацию и на художественную строчку или прошивание. Каждый вид шитья имел свою особенность и специфику. Аппликация и художественное прошивание господствовали в кочевых районах. Традиционная художественная прошивка найдена из могил времен древнего хуннского государства и рисунки таких строчных войлочных ковров до сих пор бытуют во всех тюрко-монгольских аймаках. На западе Монголии, особенно среди казахского населения и ныне широко практикуется художественная аппликация и сюзане — из красной, коричневой и черной материй вырезают орнаменты и прошивают на войлочных коврах и такими же цветами окаймляют войлочный ковер. Монголы любят украшать синие или голубые палатки крупной белой орнаментальной аппликацией. Ещё древние монголы создавали аппликации на

⑳

㉑

войлочных коврах, на богатых покрытиях юрт — дворцов, о которых много писали европейские путешественники того времени. Буддийская религия часто использовала аппликацию в своих целях. Монгольские мастерицы создавали роскошные свитки /иконы/святых буддийского пантеона, они были яркими, красочными, из дорогих материалов — натурального шелка, парчи. Их украшали жемчугом, кораллами, бирюзой. Подобные свитки — аппликации порой конкурировали с живописью — танкой и постепенно аппликация выделилась в самостоятельный вид искусства.

В конце XIX века широкое распространение получило художественное шитье с применением серебряного и золотого позумента, который прошивали тонкой нитью. Одежды привилегированных лам, князей, ноёнов стали украшать мелким речным жемчугом, кораллами, бирюзой и т.д.

Помимо вышеупомянутых основных видов монгольского декоративно-прикладного искусства ещё имеются и другие, самобытные: имел распространение метод изготовления рельефных орнаментов и изделий из кожи. Так в западной Монголии шили кожаные фляги — бурдюки, на которые вдавливали рисунки любого орнамента. Эти вдавленные рисунки не стирались и не исчезали даже при хранении в них жидкостей. Такие фляги-бурдюки были очень практичны в условиях кочевой жизни, они были легкими, прочными,

㉒

удобными. Из сыромятной кожи из обработанной кожии монголы делали ремни, уздечки, упряжь, седла, украшения к ним, сапоги-гутулы. Также хорошо они выделывали замшу и украшения из замши на детали седел, на вьючные кожаные мешки, на футляры курительных трубок, на голеница гутулов и т.д.

Был другой вид искусства—намх—плетение сложных узлов из цветных ниток на деревянной крестовине. С её помощью нитками пяти цветов—синей, белой, красной, желтой, черной—создавали различные плетения—орнаменты зооморфного и геометрического вида. Суть заключалась в том, что по контуру крестовины цветными нитями натягивали орнаменты с прямыми углами, фигурки людей, животных. Своеобразным видом монгольского декоративно-прикладного искусства был дзумбэр, аналогичный рельефному орнаменту. Его делали так: брали толченый фарфор или мрамор, добавляли сахарный песок, раствор клея и из всего этого замешивали густую массу. Её клали в сосуд с тонкой трубкой и выдавливали по контурам будущего орнамента, который походил на тонкую резьбу или барельеф. После затвердевания массы, орнамент красили, чаще всего в желтый цвет.

В этом обзоре автор попытался рассказать только об основных видах монгольского декоративно-прикладного искусства. Из всего вышесказанного можно сделать вывод, что с глубокой древности и до нашего времени это искусство продолжало и продолжает развиваться, обогащаясь и дополняясь, что оно воплощает в себе большой опыт человеческого разума, его силу, красоту, стремление к прекрасному, отличающееся художественным вкусом, тонкостью, яркой образностью, своеобразным ритмом и композицией. Оно ярко свидетельствует о богатстве и ценности многовекового культурного наследия, созданного непрестанным трудом и талантом монгольского народа.

СПИСОК ИЛЛЮСТРАЦИЙ ТЕКСТА

MONGOLIAN ARTS AND CRAFTS

The Mongolian People's Republic is situated in the centre of the Asian continent. Since hoary past, this territory had been inhabited by different tribes and people, superceding, and assimilating with each other, and at times, disappearing forever. But the arts and crafts and their trade have been passed down from one generation to another, leaving behind deep impressions on all facets of the mode of life, conscious, aesthetic and philosophical thinking.

Mongolists hold the view that the second half of the second millenium B.C. was for Mongolia a period of highly developed smelting and during which appeared the CARA-SUKSKY style in arts, appertaining to the late Bronze Age. This is evidenced by the sculptured heads of wild animals with long ears, huge eyes, giant horns on bronze knives, daggers, owls, rigs, and other objects. The centre from where CARA-SUKSKY style bronze spread and where it was produced, were both Mongolia and the Ordos, from where it spread into China and south Siberia.

An earlier form of religion of all Paleo-Asian tribes was Shamanism, the worshipping of the spirit of nature, its idolisation and animation. Ancient people had their own tribal totems, revered, offered prayers to them. They carved out of wood different objects of Shamanistic cult in the form of beasts, birds, animals, which could very well be regarded authenthic works of carving, appliqué, ornamentation in special rhythm and composition.

With the spread and domination of Buddhism, arts and crafts and their trade were influenced by the religion. There appeared elements of Indian, Tibetan and Nepalese art. Iconostasis /Güngerva/, vessels for offering gifts to idols, incense burners and other items, wind and percussion musical instruments, used during divine services were creations of folk craftsmen. Every craftsman, within his own talent, and capabilities developed and made them, which gave wide opportunities for the advancement of creative fantasy and the appearance of artistic individuality.

Objects of everyday life, in particular, reflecting man's world outlook, are distinguished for their diversity and richness.

The Gher has been the basic dwelling of the nomads and its furniture and decore are an entire gallery of arts and crafts.

One frequently sees in legends and stories canticles extolling the ghers and palaces. One such canticle about the palace of Ulan Bodon goes:

"Sculptured on the upper beams of the gates,
Are peacocks and pheasants with outstretched neck,
Hewed on the lower beams of the gates,
Are kites and tumblers swooping in clouds . . ."

The Gher is a rich, happy abode
On four firm birch props /bagana/
On the firm props–pillars
Are clustered tigers and lions . . .

In the historical narration of the 17th century–in the biography of RAVCHAMBA ZAYA, the following is said about his gher: "The central supporting poles of the gher for ZAISANG* BALGAJ UVSHANZ are ornamented in silver, they were painted and polished by Shidorch, the latticed wall were painted in different shades, the gher's door is foldable with iron plating and the gher's outside cover is made of felt embroidered in red and green . . ."

The gher, its shape, structure, painting and the utensils, tested through time and lifestyle, have come to our days with almost no or little changes.

The different Mongolian tribes are distinguished by their dress and its decoration. The Mongolian saying "The dress-god, the body-devil" comes from the noble moral admonition that the dress, its decorations should suit the complexion of a person and chosen according to taste.

In Mongolia, there were used many kinds and makes of national dress and it's known that just the headgear were of over a hundred kinds–ladies', gents, children's, for ecclesistical figures, for special rites and ceremonies, for everyday use and so on and so forth. The correct cutting of the dress, its finishing, the sewing and embroidery were all common engagement for women, and the making of different headgears, the complex embroidery and appliqué made of coloured leather were all masculine jobs–skillful masters.

The art of Mongolian folk craftsmen could be subdivided into over twenty types by way of their execution: blacksmith's artifacts of iron and bronze, castings from these metals, artistic wood carvings, ornaments and applique of leather, raised inscriptions, embroidery, gold and silver chasing, sculpture and other types of art.

Almost every Hoshun /banner/ and aimag /administrative division/ of the country, as a rule, was famous for its crafts–in one of these handicrafts. For instance, the principality of Dalai Choinkhor was famous for its smiths, the Sain Noyon Khan with its carving, Dariganga–in silver chasing, Urga in appliqué, in making xylograph for printing, painting etc.

The Mongolians over the centuries created their own national ornaments, which were expressions of the artistic intellect of the people, reflecting their feeling of the beauty in nature and life and which were distinguished for their animated narration, deep meaning and serve as the basis for all types of folk handicraft and arts. During the entire history of its existence, the ornament was crystallised in the most typical types: Zoomorphian–EVER UGALZ–corneous, which were combined, intertwined and united in fantasy of people, horns of wild sheep, ox nostril, birds and others. Vegetable–in the basis of which the people used leaves, flowers, grass, trees, twigs and shrubs. Natural phenomenon–in the form of cloud, mountains, smoke, flame, wave etc. Geometrical ornament–meanders, swastika, "ülzii" of round and rhombic forms, ornaments of rectangular shapes could be intertwined to each other.

Ornaments are not an independent branch but are regarded an inseparable detail of basically all types of folk fine arts creation, which serve as elements of folk fine arts, as elements of decoration and contain deeply symbolic meaning. For instance, the Mongolians paint on the door of a gher or other household utensils, the ornament "ülzii" so that family prosperity remained intact. Ancient ornaments, laconic for shades, were basically painted in blue, black and red mineral pigments–but one and the same colour could be used in differing shades.

Since long past, the Mongolian people held in respect the Darkhans–smiths, who held a particular standing in the society. Peoples of the Darkhan family, as a rule, always possessed certain talent, were skilled craftsmen.

Rashid-ad-Din, the Persian scholar of the 13th century A.D., has brought to us the traditions of the Mongolian tribes, who lived some two thousand years ago. He has it that one Mongolian tribe in its battle with another was totally destroyed and there remained just two men and two women, who had no other choice but to leave their home. They travelled long, crossing mountains and ridges, until they came upon a large and vast hollow amid mountains, a place abounding in cereals and games. And they remained there. Several centuries later, the place became too small for them, for they had grown to become an entire nation. Then they decided to find a way out of the mountain valley. They had iron ore pit where they smelted iron. There they started carving their way out. They collected wood and coal in the forest, and made a huge bellow of seventy horse- and bull-skin, made a huge fire and smelted an iron mountain and went out to the vast steppe from the valley. G.E. Grum-Grjimaylo, who travelled through western Mongolia and the land of the Uriankhas at the start of the century, in his travel notes had emphasised the particular significance of a blacksmith's trade among other folk handicraft of Mongolia. If a functionary happened to visit a blacksmith, the latter could very well continue his work and not even greet the former, for it was assumed that the blacksmith's work came into being long before there were any functionaries. The trade of a blacksmith was equally widespread in all the aimags and was even of a hereditary nature, for it was passed down from father to son and so this trade had its own family secrets. The bulk of the blacksmiths were people with talent and could perform all operation. They made iron ring of wheels, intricate locks, trivets, different metallic household utensils, trimmings and decorations for harness, lamellar hauberk, ornamented quivers, decorative components of silver for men's and women's outer garments–pendants, leather belts with silver ornaments, men's decorations, which included a steel dagger with a richly decorated sheath, steel, chopsticks, tooth pickers, a pair of tweezers, a smoking pipe and others.

Here's a description of a blacksmith's intricate trade: pure silver is hammered into extremely thin sheets, and birds, animals and other patterns are cut out of them with the help of birch-bark stencils. In hot forges, these silver cuts are hammer beaten onto bridles, metal parts of saddles and quivers. Then the whole work is blued in the fire and slicked with burning coal. Metal fretwork was not only restricted to decorative uses. The craftsmen made intricate figures of Buddha as tall as 40 cm. These incomparable statues were polished to a somewhat bluish colour and were as clear as glass–that's what eyewitnesses said. That's why ancient stories and legends said that the statues made of polished pure silver were smoother than ice, decorated with rare semi-precious stones.

Jewellery making was also widespread all over Mongolia. Jewellery made of iron and copper were of more often decorated with gold and silver ornaments, and later on, when gold and silver were used for decorative purposes, they were covered with thin silver plates with intricate ornamental designs–silver threads were used for making unique and fancy interlacings of national designs–Mongolian filigree. Head decorations, crowns, clips, hair pins, pendants used by the Khalkha, Dariganga, Uzemchin, Buryat women and women of western Mongolia were usually made of silver framings with filigree ornamental design of gold and silver with corral, turquois and other precious stones inlaid. Such a fine and intricate trade were often raised to a highly developed jewellery art by folk talents.

Metal fretwork by Mongolian craftsmen are worthy of deserving praise: their artifacts could be placed on a par with sophisticated carvings of sandal wood and tusk, made in China and India. There are in museums of the MPR, knives in sheath, different cases, seals of Mongolian functionaries, smoke pipe and its accessories with the 12 animals in Mongolian calendar chased, raised ornamental patterns, emblems and titles and some of them inlaid with gold.

Since the Bronze Age, the Mongolians have been following the tradition of casting and in the 19th century A.D. casting in bronze, brass and copper alloys was widespread. Ritual musical instruments and other cultural objects, incense-burner, censer were cast. Different bells, hand and hanging bells, were made by casting. Every smith had his own method and style of moulding. For instance, all the 600 bells moulded by a well-known smith from Urga DAWADORJ, who lived in the early 20th century, varied from each other by their design, finishing, ornamental patterns, and their peculiar sound. A well moulded and a well-tuned bell DENSHING, produces a surprisingly clear and melodious sound, which vibrates for long and sounds like a tuning-fork. While casting large and sophisticated article, the method of span casting was used, which instruction at one time was written down by the great Mongolian sculptor of the 17th century U. Zanabazar. It was for many years used by many craftsmen–moulders, including Dawadorj.

The Mongolians themselves since early times made wooden household accessories: the gher, cart, box, cupboard, bucket, utensils, musical instruments etc. Carvers made chessmen, the Horol /a national game/, domesticated animal figures, cliché for printing books and gods, and intricate objet d'art.

Mongolian joiners, carpenters, cabinet-makers, paid particular attention to the correct drying and processing of wood. They cared for the quality of the material: when the tree still grew in the forest, its roots were removed, dried for a long period, and then sawed down and its core pulled out, then its pitch was washed off in river and if necessary boiled in water. Some of the utensils, for instance, trough for watering herds, different stupas were made of hard wood; spoons, cups, stirring rod, different ladles and other utensils were made of one-piece wood, preferably of aspen grove, since it did not produce strange taste. Carpenters were clever in using the natural qualities of wood, for instance, for making bent article–the TOONO–the upper ring of a gher–one half stem of a birch tree was cut off in summer, and when it was completely dried up, it was bent in that side, where the stem was not cut off.

For fretwork, the Mongolians used birch tree, pine wood, cornel, buckthorn, root of junier, that is, such types of woods were chosen, which retained their humidity for a year. Sandal wood, red and ebony, and others were also used in intricate carvings.

The making of Mongolian national musical instruments has too since long been regarded folk handicraft. The history of the Yuan dynasty says that Emperor Togon Tömör had a court symphony with 312 musicians. While Badrah in his essay wrote that Mongolian musical instruments were chiefly stringed instruments–plucked and bow. The world famous Mongolian epic "Jangar" says the following about Agat, Jangar's wife: ". . . in her hands, the long 91-string silver yatga sang as the swan that had hatched an egg in the reeds, as the duck that had hatched an egg in the rushes . . ." The most widespread folk musical instrument was the morin huur. The neck of the morin huur was crowned with one, two and even three expressive beautiful horse heads and beneath them sometimes dragon heads too were carved out. Beautiful ornamental designs were carved on each side of the square body, the peg-head and the bow. There is another such instrument as the SHANAGANHUUR, which was hollowed out from a solid wood or thin small boards glued together. The ornamental designs on the Shanaganhuur were not carved out but made of thin strips of wood glued on it. Only an experienced person could make a real shanaganhuur.

Wooden clichés for printing books and drawings were made of flat planks, but so as to prevent deformation, the carvings were made from all four sides on the square or rectangular boards lengthwise. The carvers preferred and highly assessed carvings of a one-piece figure rather than flat ornamental designs or bas-relief. It was believed that the carving should precisely distinguish the living nature: men, the plants and animals, and such a carving was regarded priceless from the artistic viewpoint.

Mongolian carvings were distinguished for their monumental nature. The chess-men, exhibited at the Museum of Fine Arts include intricately carved camel figures, which, although are smaller than a match-box, appear impressive and monumental.

In the early 20th century, all famous carvers were gathered in Urga from all parts of the country for executing a large piece of work for religious purposes–for making a miniature heaven of Buddhist gods: Düinhoriyn Loilon, Awidiin Shangad, which with their complex attribute were real architectural ensemble. They had also to make wooden clichés for over three-hundred volume Ganjur and Danjur–a collection of Indo-Tibetan treatises on many branches of learning: literature, art, astronomy, philosophy, logics, medicine, mathematics, theology etc. The Ganjur had 1260 and the Danjur 3427 parts and each of them had some 500–600 pages with a size of 24 by 80. All these works were excellently executed within a record short period.

The carvers besides wood also used bones, stones, amber

for carving. Decorations of bone for dresses worn during the TSAM—special religious ceremonies—were made as follows: camel bones were boiled down, after which they became snow white which were then used in costume jewellery.

Since long past, embroidery was done by women, who cleverly handled needles and thread. This vast link in folk handicraft in its turn was divided into embroidery, applique, and artistic stitching. Each of these had their own distinctive features. Appliqué and artistic stitching was widespread in nomadic regions. A traditional artistic embroidery work was found from a grave appertaining to the ancient Hun empire and the drawings on such felt carpets are even today occurant among all Turkish-Mongolian aimags. In west Mongolia, and especially among the Kazakh nationalities, who even today widely work on artistic appliqué—cut out ornamental designs from red, brown and black material and stitch them on to the felt carpets, which are fringed of the same colour. The Mongolians love to decorate their blue and sky blue tents with large white ornamental appliqué. In the ancient past, the Mongolians made appliqué on felt carpets, on the coverings of ghers, about which European travellers of that period wrote extensively. The Buddhist religion also quite frequently used appliqué for its own purpose. The Mongolian masters created splendid icons of sacred Buddhist Pantheons; they were bright coloured and made of expensive articles—natural silk, and brocade. They were decorated with gems, corall, turquoise. Such icons-appliqué rivalled with the Thangka-painting and gradually appliqué became an independent art.

Artistic needlework using silver and gold lace, which were stitched with thin thread became widespread in the late 19th century. The outer garments of privileged lamas, nobles and noyons were decorated with small river gems, corrals and turquoise etc.

Besides the aforementioned basic types of Mongolian arts and crafts, there were other original and distinctive ones too: the method of making raised ornamental designs on leather items were widespread. For instance, in western Mongolia, water skin had beautiful and variegated designs, which never erased or disappeared when liquid was stored in it for a long period of time. Such water-skins were practicable from the view point of a nomadic way of life, since they were light, durable and easy to carry around. The Mongolians used raw hide and processed leather for making belts, bridles, harness, saddle, their decorations and Mongolian boots—Gutuls. They also made suede, which was used for making decorative elements on saddle, on pack leather sacks, on case for smoke pipe, on the top of boots etc.

There was another type of applied art—NAMHA—wickerwork of intricate knots of coloured threads on wooden cross pieces. With the help of threads of fine shades—blue, white, red, yellow and black, different wicker-works were made—zoomorphological and geometrical ornaments. Along the contours of the cross pieces of coloured threads, ornamental designs with right angles and animal figures were made. A distinctive type of Mongolian arts and crafts was ZUMBER, similar to raised ornamental designs. This is how it was made: ground porcelain or marble, granulated sugar and liquid glue were used and they were mixed into a thick mass. It was then put into a pot with a thin long tubular outlet and the desired patterns were made, which resembled a fine carving or a bas-relief. After the mass solidified, the designs were painted, more often in yellow.

In this brief survey, the author sought to give an idea about only the basic types of Mongolian arts and crafts. From the above, it can be concluded that since hoary past and even today, this art developed and continues to develop, enrich and supplement, that it embodies in itself vast experience of human genius, his strength, his strivings towards everything beautiful and wonderful, distinguished by its artistic task, intricacy, deeply expressiveness, distinctiveness of rhythm and composition. It is a graphic proof of the richness and pricelessness of centuries of cultural heritage, created by the unceasing labour and talent of the Mongolian people.

*ZAISANG: an honorary title used mostly among the Western Mongols /Oirats/ for the head of a clan

LIST OF ILLUSTRATIONS TO TEXT

ARTS ARTISANAUX DE LA MONGOLIE

La République Populaire de Mongolie est située au centre du continent asiatique, dont le territoire fut peuplé par différentes tribus depuis des temps reculés. S'assimilant l'un à l'autre, ces peuples parfois disparaissaient tout à fait de la surface de la terre. Mais ces Etats anciens qui se succédaient sur le territoire mongol ont légué un riche héritage artistique. L'art et l'artisanat se transmettaient de génération en génération tout en s'enrichissant et en même temps en laissant le signe de leur époque dans tous les domaines de la vie humaine ainsi que le mode de pensée, leur goût esthétique et leur pensée philosophique.

Selon les mongolisants, la deuxième moitié du 2-ème millénaire avant notre ère est considérée comme la période de l'essor de l'industrie des métaux et de l'apparition dans l'art du style fameux de Karasouk, dont témoignent les images sculptées de têtes d'animaux sauvages aux longues oreilles, aux grands yeux et avec des énormes cornes, ceux-ci sont ciselés sur les couteaux de bronze, les poignards, les tire- points et autres objets. La Mongolie et les Ordos furent le centre d'une large production de bronzes de Karasouk, d'où cette forme pénétra en Chine et Sibérie du Sud.

Le chamanisme, croyance à l'omniprésence des esprits, fut la première religion de toutes les tribus asiatiques paléozoïques. Cette religion est surtout caractérisée par le culte des esprits, l'exorcisme et la nécromancie. Chaque tribu avait son totem. Les hommes anciens croyaient aux esprits-maîtres de la terre et des eaux ainsi qu'aux forces chamaniques du ciel. Les artisans sculptaient du bois les différents objets du culte chamanique avec des représentations d'animaux, d'oiseaux. Ces sculptures sur bois, ces applications, décorées de motifs traditionnels constituaient de véritables oeuvres d'art.

L'art artisanal de la Mongolie a subi l'influence du bouddhisme qui se propagea ici. Des éléments propres à l'art indien, tibétain et népalais apparurent: des iconostases, des récipients pour offrandes aux divinités, des cassolettes et autres objets, des instruments de musique à vent et à percussion utilisés lors des offices religieux, créés par des maîtres-artisans. Ces objets d'art furent conçus et créés par ces maîtres ingénieux, ce qui donna libre cours à la fantaisie et à l'épanouissement de la personnalité de l'homme. Ces productions eurent un caractère et une vitalité propres, étant l'expression directe d'un artisan constamment soucieux de beauté fonctionnelle.

Les objets de la maison en particulier sont d'une richesse et d'une diversité inouïe: ils exprimaient la conception du monde de l'homme.

Le logement traditionnel des arats /éleveurs/ est la gher /la yourte/, dont la décoration intérieure représente tout un éventail d'art artisanal.

Des légendes mongoles évoquent des paroles comblant d'éloges les yourtes et les palais du héros Ulan Bodon:

"Sur le linteau de la porte sont sculptés
Des paons et des faisans au cou allongé
Sur le bas de la porte sont sculptés
Des milans jouant dans les airs . . ."

Cette yourte est riche, heureuse
S'appuyant sur les supports solides
L'once et le lion se pressent l'un contre l'autre . . .

Un récit historique du XVII-ème siècle sur la vie de zaissan Ravtchamba Zaya nous parle de sa yourte: "Le tono et l'unis de sa yourte étaient ornés d'argent par Balgaja Ouvchanz, peints par Chidortch, le treillis avait des coloris variés, la porte de la yourte était pliable, bordée de fer, la yourte était couverte de drap kazakh brodé rouge et vert . . .

La forme et la construction de la yourte eut subi l'épreuve du temps.

Les différentes tribus mongoles se sont différenciées par leur habits et leurs éléments décoratifs. Un proverbe mongol dit: "Habit–Dieu, Corps–Diable", l'idée étant que chacun doit mettre un costume et des bijoux qui se marient bien et aillent bien avec le dessin du visage.

Il existait, c'est bien connu, une grande variété d'habits traditionnels en Mongolie; rien que des chapeaux, on en connaissait plus de cent variétés: de femme, d'homme, d'enfant, de religieux, pour des cérémonies religieuses, pour les tenues de soirée, pour tous les jours etc . . . La couture et la broderie étaient réservées aux femmes mongoles, tandis que la couture des chapeaux de différents types, des broderies, des applications en peau de couleur vive constituaient l'occupation des hommes de l'époque.

L'art artisanal mongol est réparti en plus de vingt catégories: bronze, sculpture sur bois, ornement et application en peau, légende en relief, broderie d'art, orfèvrerie etc. . .

Chaque khochoun ou aïmak mongol était connu pour ses maîtres ingénieux, par exemple, la principauté de Dalai Tchoïnkhor van avait des forgerons fameux, celle de Sain Noyon khan était connue pour ses sculpteurs, celle de Dariganga–pour ses orfèvres, celle d'Ourga pour ses applications, ses xylographies et ses impressions et sa peinture etc. . .

Durant des siècles les mongols créèrent leurs décorations traditionnelles, qui exprimaient leur mode de pensée, leur perception de la beauté, de la nature et de la vie, dont le style narratif fut d'un haut niveau et le contenu–profond. L'ornementation lors de toute son existence a subi un changement considérable. Par exemple, on différait l'ornementation corniforme, motifs zoomorphes, combinaisons variées de cornes de mouflons, de naseau de boeuf, des oiseaux, inspirés par la fantaisie populaire; les motifs végétaux: les feuilles, les fleurs, les plantes, les arbres, les branches, les buissons; des ornements reproduisant des éléments naturels: la forme des nuages, des montagnes, de la fumée, de la flamme, des vagues ainsi que des compositions géométriques /les méandres, la croix gammée, "ulzii" en cercle fermé et en losange, entrelacés avec des ornements rectangulaires/.

L'ornementation ne représente pas une branche indépendante, mais un détail indispensable de l'art artisanal mongol, qui sert d'éléments de décoration traditionnelle et qui a une signification symbolique. La porte de la yourte est décorée, d'habitude, de motifs traditionnels "ulzii" pour souhaiter le bonheur à toute la famille. Il est à noter que l'ornementation ancienne était de coloris toujours assez neutres, on aimait plutôt les couleurs bleue, noire et rouge, mais il pouvait arriver qu'une seule couleur fût appliquée dans toutes ses nuances.

Depuis longtemps le métier du forgeron était très respecté, les forgerons avaient une situation relativement privilégiée dans la société mongole d'autrefois. Les ressortissants de la famille des maîtres-artisans–des darkhans étaient des gens vraiment très doués.

Rachid-ad-Din, savant iranien du XIII-ème siècle écrit la légende sur les tribus mongoles vécues il y a deux millénaires. Lors d'une bataille une tribu mongole en extermina une autre, deux hommes et deux femmes restèrent vivants et ils furent obligés de quitter leur pays. Jour et nuit ils marchèrent à travers les montagnes enfin ils gagnèrent une vaste vallée, entourée de montagnes, riche en blè et en gibier. Ils décidèrent d'y rester. Quelques centaines d'années après ce fut tout un peuple. La vallée pittoresque devint trop petite pour eux. Ce peuple chercha une sortie hors de la vallée. Ils avaient une mine de fer, où ils fondaient du fer. Ils ramassèrent du bois de chauffage dans la forêt et du charbon, enlevèrent la peau de 70 chevaux et boeufs, les femmes en cousurent de grands soufflets de forge en allumant du feu et firent fondre la montagne de fer ainsi trouvèrent la sortie de la vallée vers une vaste plaine. Grum-Grjimajlo qui voyageait au début du siècle à travers la Mongolie occidentale et le pays d'Ouriankhai fit remarquer dans ses notes de voyages l'importance particulière de la forge dans l'art artisanal de la Mongolie. Même si un fonctionnaire rentrait dans une forge, le forgeron continuait à travailler sans le saluer, car on estimait que son art était apparu bien avant la naissance du métier de fonctionnaire. Le métier de forgeron a été très populaire dans la Mongolie d'autrefois, presque dans tous les aïmaks et il fut transmis de génération en génération Chaque maître n'avait pas de secrets professionnels pour son élève. Les forgerons furent les hommes qui savaient tout faire: des jantes des roues des chariots, des cadenas ingénieux, des trépieds, différents ustensiles de ménage, des éléments pour les harnais, des cottes de mailles, des ornements pour les carquois, des pièces d'orfèvrerie pour les costumes féminin et masculin mongols: des plaques, des pendentifs, des ceintures, décorés d'argent, des assortiments pour homme, composés de riches fourreaux avec des couteaux et des briquets en acier, des baguettes, des cure-dents, des pinces pour arracher les cheveux, des pipes à tuyau d'argent, des forticules etc. . .

Ces ingénieux artisans faisaient fondre l'argent en feuille fine dans un moule en écorce de bouleau creusée d'images d'oiseaux, d'animaux etc... Ces éléments étaient ensuite appliquées à la forge sur des brides, des selles et des carquois de façon à ce que l'argent adhérât bien au fer. A la fin du travail chaque objet était trempé dans le feu et fourbi par le charbon. La sculpture sur métal dépassa largement le cadre de l'art artisanal. Ces habiles maîtres-artisans firent des statuettes des divinités bouddhiques, dont la hauteur atteignait jusqu'à 40 cm. Ces oeuvres d'art sans pareil étaient polies jusqu'à une nuance bleuâtre éclatante comme si c'était du verre, selon les témoins oculaires de l'époque. Ce n'était pas par hasard que des légendes mongoles disent que "ces sculptures, décorées de pierres fines sont plus blanches que l'argent, plus transparentes que des glaciers."

L'orfèvrerie fut très répandu en Mongolie. Le plus souvent les sculpteurs-orfèvres recouvraient des bijoux en cuivre et en fer d'une feuille d'argent ou d'or, plus tard l'or et l'argent furent largement utilisés, la feuille d'or adhérant au cuivre donnait or mat qui est légèrement en relief sur la surface de la glaçure, ornés de motifs décoratifs compliqués. Les bijoux pour des femmes Dariganga, khalkha, ouzemtchin et bouriates, les couronnes, les barrettes, les étuis d'argent pour les tresses de cheveux, les pendeloques étaient en général exécutés en argent. Autrefois, la parure de tête des femmes mariées était plus élaborée: c'était un diadème d'étoffe noire, appliqué de coraux, de turquoises et de plaques d'argent, d'où pendaient sur chaque joue des boucles d'oreille et d'autres colifichets.

Des objets de fer ciselés par des maîtres-artisans mongols sont digne d'admiration et peuvent concurrencier les sculptures de renommée mondiale, des maîtres-artisans indiens et chinois en bois de santal et en ivoire. Des couteaux dans leurs fourreaux, des briquets, différents étuis, de sceaux de fonctionnaires mongols, des pipes et autres ustensiles au tabac, sur lesquels sont ciselés les animaux du calendrier mongol, des ornements en relief, l'emblème et les noms de titre, dont quelques-uns étaient incrustés d'or.

A partir de l'âge de bronze les mongols conservèrent une tradition d'objets en fonte, vers la fin du XIX-ème siècle le moulage de bronze de couleur, de laiton /alliage avec du cuivre/ furent très répandus. Des instruments de musique pour des rites bouddhiques, des objets du culte, des encensoirs, des cassolettes étaient coulés en bronze. Différentes clochettes, gongs furent coulés. Chaque maître-artisan possédait ses propres secrets professionnels de la fonte et de l'accordage. Les clochettes fondues par Dagvadorj, maître fameux d'Ourga au début du XX-ème siècle étaient toutes différentes les unes des autres, sauf par leurs ornements que par leur sonorité. Chaque clochette put être comparée à un diapason d'après la pureté du son et la qualité de l'accordage. La méthode du coulage distillatoire était pratiquée dans le moulage des objets compliqués et de grandes dimensions; les moyens et étapes de cette méthode ont été décrits par éminent sculpteur mongol G. Zanabazar au XVII-ème siècle. Durant de nombreuses années des maîtres-artisans mongols s'en servirent avec succès, y compris Dagvadorj.

Depuis des temps reculés, les Mongols fabriquaient avec du bois les ustensiles de ménage: les yourtes, les coffres, les placards, les seaux, la vaisselle et les instruments de musique etc. Les sculpteurs faisaient des pièces d'échec, des pièces du jeu traditionnel /khorol/ les représentations des animaux domestiques, les bas-reliefs qui servaient de clichés pour l'imprimerie, les statuettes bouddhiques, des oeuvres d'art d'une grande finesse.

Les menuisiers, les charpentiers et les ébenistes mongols attachaient une grande importance aux travaux de séchage du bois. La bonne qualité du bois sur pied était très importante. On enlevait l'écorce de l'arbre sur pied et on le laissait ainsi sécher pendant très longtemps, après on le sciait et on enlevait le duramen, qu'on débarassait de sa résine en le mettant dans la rivière ou dans de l'eau bouillante. Certains ustensiles de ménage tels un abrevoir et différents mortiers étaient faits en creusant une pìèce de bois dur; des cuillères, des bols, des cuves pour la viande, des brassoirs étaient taillés dans la masse du bois, car il ne donnait pas d'arrière-goût. Les charpentiers utilisaient avec savoir-faire les qualités des bois, par exemple pour des objets courbes tels que le tono, roue de bois à rayons, posée au-dessus de la yourte et tenant lieu de charpente. En été ils coupaient la moitié du tronc d'un bouleau, attendant qu'il sèche sur pied en se pliant vers le côté non coupé.

La production des instruments de musique nationaux mongols appartient aussi à l'art artisanal. Les annales de la Dynastie Yuan nous font part de l'existence d'un orchestre symphonique ayant compté à l'époque 312 musiciens. Badrah, musicologue, dans son aperçu écrivait que les instruments de musique mongols sont des instruments à cordes, frottés par un archet ou pincés. La poésie épique héroique mongole "Jangar" mondialement connue raconte à propos de l'épouse de Jangar Agathe: "Quand elle prenait dans les mains sa yatga à 91 cordes, on entendait tantôt le cri du cygne venant de pondre dans les joncs, tantôt le cri de la canne venant de pondre dans le lac". L'instrument de musique traditionnelle le plus répandu chez les Mongols est le morin-khour, petite vièle à quatre clefs, deux cordes et un archet pour rythmer, dont l'extrémité est ornée d'une ou deux têtes de cheval, parfois on y sculptait la tête d'un dragon. Sur les deux côtés du corps en bois du morin-khour, sur les oreilles du cheval, sur l'archet on sculptait de beaux ornements. Un autre instrument de musique est le chanagankhour, vièle à la forme d'une puisette, il est creusé d'une pièce de bois, dont les ornements sont collés sous forme de lamelles en bois. Seul un maître-artisan très expérimenté était capable de faire un vrai chanagankhour.

Des clichés en bois pour l'imprimerie étaient faits sur des planchettes et pour éviter la déformation les lettres étaient sculptées dans le sens de la longueur sur une planchette carrée ou rectangulaire. Les maîtres-artisans estimaient grandement la sculpture de sujets entiers et préféraient cela à des motifs à plat ou en bas-relief. On considérait que la sculpture devait mettre en relief la nature: les hommes, les plantes, les animaux; les sculptures de ce type prenaient une grande valeur artistique.

La sculpture mongole a un caractère monumentale. Les pièces d'échecs, exposées au Musée des arts plastiques et dont le chameau est si bien sculpté que bien qu'il soit plus petit qu'une boîte d'allumettes, il a l'air assez imposant.

Au début du XX-ème siècle les fameux sculpteurs mongols de tout le pays furent mandés à Ourga pour exécuter des travaux pour l'Etat d'une portée religieuse: un temple de dimensions réduites, demeure des divinités bouddhiques du ciel: Douinkhoryn Loïlin, Avidiin Changad, l'ensemble architectural avec tous les attributs complexes, ainsi que des clichés en bois pour les livres scientifiques Ganjour et Danjour contenant plus de 300 volumes, dont des traités sur l'astronomie, la phylosophie, la logique, la médecine, les mathématiques, la théologie, l'art, la litterature etc... Le Ganjour contient 1260 parties, tandis que le Danjour en compte 3427. Chaque livre avait 500 ou 600 pages de dimensions 80 × 24 cm. Tous ces travaux ont été accompli brillamment en très peu de temps.

Les sculpteurs mongols travaillaient aussi d'autres matériaux: l'os, les pierres fines, l'ambre pour orner les vêtements, destinés aux danses sacrées /"tsam"/ des mystères religieux à Ourga. Ils faisaient des bijoux avec des os de chameaux préalablement longuement bouillis.

Tout au long des âges les femmes mongoles ont été de bonnes brodeuses. Ce domaine de l'artisanat populaire se subdivisait à son tour en broderie, en application et en couture. Chaque spécialité avait ses particularités et ses spécificités. Un exemple de couture traditionnelle a été découverte dans la tombe de l'époque des Huns et ce type de broderie existe jusqu'à nos jours dans tous les aimaks turco-mongols de notre pays. A l'Ouest de la Mongolie á présent essentiellement l'ethnie kazakh exécute en application sur un tapis de feutre une ornementation faite de motifs traditionnels en feutre de couleur rouge, brune et noire et bordé d'un galon tout autour. Les Mongols aiment á décorer leurs tentes bleues foncées ou bleu-claires à l'aide d'applications de couleur blanche. Les Mongols d'antan exécutaient des applications sur les tapis en feutre, sur le feutre extérieur des yourtes-palais que beaucoup de voyageurs européens de l'époque décrivaient. Le bouddhisme utilisait l'art de l'application à ses propres fins. Les femmes mongoles créaient des tankas des divinités du panthéon tantrique: ils étaient très luxueux de couleur vive et composés d'applications de soie véritable ou de brocart, ornés de perles fines, de coraux, de turquoises. Ces tableaux en application concurrenciaient les tankas peintes. L'art de l'application s'érigea peu à peu en une branche d'art indépendante.

Vers la fin du XIX-ème siècle la broderie d'art galonnée de fils d'argent et d'or sur les contours fut très répandu. Les costumes des lamas privilégiés, des princes, des noyons étaient décorés de perles, de coraux, de turquoises etc.

Entre autres, il existait à l'époque en Mongolie d'autres genres d'art artisanal très spécifiques, par exemple, la méthode de l'exécution des ornements en relief et des articles en cuir. A l'ouest de la Mongolie on cousait des gourdes—des outres avec des ornements enfoncés, pressés qui ne s'effaçaient pas même si l'on gardait des liquides à l'intérieur. Des gourdes de ce type étaient très commodes pour la vie nomade, elles étaient légères et solides à la fois. Des ceintures, des harnais, les ornements pour les bottes traditionnelles mongoles étaient exécutés en cuir. Les Mongols travaillaient bien le cuir de daim en faisant des détails décoratifs pour les selles, les sacs de bât en cuir, l'étui des pipes, les tiges de bottes etc...

Le "namkh" représente un autre genre d'art artisanal mongol. A l'aide de fils de couleurs on exécute des entrelacs assez compliqués de préference de couleurs bleue, blanche, rouge, jaune, noire sur une croix de bois à tendances géométriques et motifs floraux. Des fils de couleurs sont tendus sur cette croix avec des angles droits, les images des hommes et des animaux. Le "zoumber" est un genre très particulière d'art artisanal mongol ressemblant aux ornements en relief. Il est exécuté de la façon suivante: dans de la porcelaine mise en poudre ou dans du marbre en poudre on ajoutait du sucre et de la colle; on mettait ce mélange dans un recipient et à l'aide d'un tube fin on le déposait sur les contours des futurs ornements pour qu'ils ressemblent à une sculpture ou à un bas-relief. Quand cette pâte était devenue dure l'ornement était peint en jaune de préférence.

Dans ce travail l'auteur a essayé de faire part des principaux genres de l'art artisanal mongol. Depuis les temps les plus reculés, l'art artisanal en Mongolie a commencé à se développer tout en s'enrichissant au fil des années. Les oeuvres artisanales contiennent l'expérience de la pensée humaine, sa force, son aspiration à la beauté, sa pratique est une opération globale, faisant appel aux émotions, à l'esprit et au corps et coordonnée suivant un certain rythme. L'art artisanal mongol, expression d'une grande tradition populaire, témoigne du riche héritage artistique de peuple mongol.

LISTE DES ILLUSTRATIONS DU TEXTE

ARTE DECORATIVO APLICADO DE MONGOLIA

La República Popular de Mongolia se encuentra en el centro del continente asiático. En este territorio desde tiempos remotos habitaban diversos tribus y pueblos que uno tras otro se asimilaron entre sí, a veces desapareciéndose para siempre. Pero el arte decorativo aplicado y su oficio fueron heredados de generación en generación, dejando su sello en todos los aspectos de la vida, de la conciencia y del pensamiento estético y filosófico.

Los estudiosos de la historia de Mongolia suponen que la segunda parte del II milenio antes de nuestra era fue en Mongolia un período de gran desarrollo de la fundición de metales, cuando apareció el famoso estilo de Karasuk en el arte. Las imágenes de cabezas de animales salvajes con largas orejas, grandes ojos y enormes cuernos, esculpidas en los cuchillos de bronce y otros objetos atestiguan esta afirmación. El centro de divulgación y confección de objetos de bronce de Karasuk eran Mongolia y Ordos de donde estas formas luego penetraron a la China de Yin y al sur de Siberia.

La antígua forma de la religión de todas las tribus de Asia paleózoica era el chamanismo, el culto a los espíritus de la naturaleza, su vivificación y divinización. Los antíguos habitantes tenían sus totemes a los cuales veneraban y rezaban. Tallaban en madera diversos objetos de culto, representando fieras, aves, animales, etc. Estos objetos pueden ser considerados como obras auténticas del tallado artístico y de la aplicación, cuyos ornamentos son de un ritmo y combinación especial.

Con la expansión y dominio del budismo el arte decorativo aplicado fue influido por la religión, aparecieron los elementos del arte de la India, del Tibet y Nepal. Los iconos, recipientes para dones a las divinidades y otros objetos, los instrumentos musicales de percusión y de viento que se usaban durante las misas eran obras de los maestros artífices del pueblo. Cada maestro los componía y creaba de acuerdo a su talento y capacidad, lo que abrió amplias posibilidades para el desarrollo de la fantasía creadora y manifestación de la individualidad artística.

En especial, los objetos de uso cotidiano que expresan la concepción del mundo del hombre, se destacan por la riqueza y carácter diverso.

Las viviendas de los nómadas, la yurta, su mobiliario y docoración constituyen toda una galería del arte decorativo aplicado.

En las leyendas y fábulas hay numerosos cantos que elogian a las yurtas-palacios. Por ejemplo, sobre el palacio del heroe Ulan-Bodon se dice:

"En la barra superior de la puerta
están labrados un pavo real y un faisán,
en la del interior de la puerta
están sellados halcones y patos"

Feliz y rica es esa yurta
que se sostiene sobre cuatro soportes de abedul
adornados con figuras de panteras y leones"

En una narración histórica del siglo XVII, en la biografía de Ravchamba Zaya se dice sobre su yurta: "El techo de la yurta para zaisan Balgazha Uvshanz lo cubrieron con adornos de plata, era pintado y lustrado por Shidorzh, las paredes fueron pintadas en diferentes tonos, la puerta plegable tenía orladura de hierro y el forro estaba hecho de paño kazajo color rojo y verde . . ."

La yurta, su forma, construcción y utensilios, probados por el tiempo y modo de vida, llegaron hasta nuestros días casí sin sufrir cambio alguno.

Las diversas tribus mongolas se diferenciaban por su vestuario y adornos. Un refrán mongol que dice "El vestido es el Dios y el cuerpo es el demonio" parte de la moral noble, de que el vestido y sus adornos deben ser bonitos y escogidos con gusto.

En Mongolia hubo muchos tipos y modelos de trajes nacionales y se conoce que solamente los gorros, son más de 100 tipos: para damas, hombres, niños, para ceremonia y uso cotidiano, de gala, etc. El corte correcto del vestido, su guarnición, costura, bordado eran oficio habitual de las mujeres y la costura de los gorros de diversos modelos, los bordados complejos, aplicaciones de cuero en colores eran trabajos de hombres, de maestros expertos.

El arte de los artífices mongoles por su manera de preparación puede ser dividido en más de 20 tipos: artículos de herrería hechos en hierro y bronce; fundición de estos metales; tallado artístico en madera; ornamentos y aplicaciones en cuero; inscripciones en relieve; costura artística; acuñado en oro, plata; escultura, etc.

Casí cada provincia del país, como regla, era célebre por sus maestros en uno de los oficios artísticos: por ejemplo, el principado de Dalai Choinjor Van se distinguía por sus herreros; el de Sain Noyon Khan por el tallado artístico, Dariganga, por los maestros de grabado en plata; Urgo, por los aplicaciones, xilografía y por la pintura, etc.

Los mongoles durante siglos creaban sus ornamentos nacionales que siendo la expresión del intelecto artístico del pueblo, manifiestan los sentimientos de la belleza de la naturaleza y de la vida, se destacan por un elevado estilo de narración y profundo contenido, sirven de base para todo tipo y variedad de oficios y arte populares. A lo largo de toda la historia de su existencia el ornamento se cristalizó en los siguientes aspectos más típicos:

ZOOMORFICO—"ever ugalz", cornífo rme, en el cual el pueblo con su fantasía combina, entrelaza y mezcla el cuerno de oveja montesa, la nariz de toro y las aves, etc. VEGETAL—el pueblo como base para esta variedad de ornamentos escogió las formas de hojas, hierbas, árboles, ramos. FENOMENOS DE LA NATURALEZA—formas de nubes, montañas, humo, fuego, olas, etc. GEOMETRICOS—meándro, cruz gamada, "ulzi" de forma redonda y romboidal, ornamentos rectángulares que pueden ser entrelazados.

Los ornamentos no son una esfera independiente, sino se consideran como parte inseparable de las principales variedades de la creación plástica del pueblo, sirven de elementos de guarnición y adorno, contienen un profundo sentido simbólico. Por ejemplo, los mongoles en las puertas y otros objetos de uso doméstico de la yurta, dibujan el ornamento "ulzi" para que en la casa siempre reinara la felicidad. Los ornamentos antíguos son lacónicos por su color, naturalmente los dibujaban con pinturas minerales azúl, negro y rojo, aplicando el mismo color en diferentes matices.

Desde tiempos remotos el pueblo mongol respeta a los maestros herreros, los cuales gozaban de una situación especial en la sociedad. Los del clan de herreros naturalmente eran talentosos, artífices.

Rashid-ad-Din, científico de Irán del siglo XIII nos dejó una leyenda sobre las tribus mongolas que vivían hace cerca de 2000 años. La leyenda dice que una tribu mongola fue extinguida por completo durante una batalla con otras tribus, sólo quedaron vivos dos hombres y dos mujeres que se vieron obligados a huir. Ellos caminaron durante mucho tiempo por montañas y estepas y al fin llegaron a un amplio valle rodeado por montañas y se quedaron allí a vivir. Al pasar varios centenares de años aquellos dos parejas se convirtieron en un pueblo entero que ya no cabía en el valle. Decidieron entonces buscar la salida del mismo. Ellos tenían una mina de hierro, donde fundían este metal. Allí empezaron a cavar la salida. Recogieron mucha madera en el bosque. Con el cuero de 70 caballos y toros cosieron un fuelle y encendieron el fuego con el cual fundieron toda la montaña, logrando salir del valle a una vasta estepa. G.E. Grum-Grzhimailo quien viajó a principios del siglo por la parte occidental de Mongolia y el territorio de Urianjai, en sus apuntes señalaba la significación especial de la herrería entre otros oficios populares en Mongolia. Cuando algun empleado público entraba a la forja, el herrero podía seguir su trabajo y no saludarlo, pues se consideraba que la herrería nació mucho antes que el empleo de funcionarios. La herrería se había desarrollado en todos los aimaks /provincias/

y era oficio de casta que se heredaba de generación en generación, teniendo sus secretos familiares del oficio. Ellos sabían hacer todo: desde los aros, candados sutiles, enseres metálicos de cocina, trébedes, hasta los adornos del aparejo, cota laminosa de mallas, ornamentos para aljabas, adornos de plata para el vestido: incrustaciones, colgantes, cinturones adornados en plata; juegos para hombres que contienen el cuchillo de acero con vainas ricas, eslabón de acero, palillos de comer, mondadientes, pinzas, cachimbas, etc.

La descripción del trabajo de los maestros es la siguiente: "de la plata legítima hacían listas finas, después, con modelos hechos de corteza de abedul hacían figuras de aves, animales y otras imágenes. En la forja candente con martillo rugoso grababan los recortes de plata en la brida, montura y en las aljabas, como resultado la plata se pega al hierro tan fuerte que no se desprende nunca. Al final lo pavonaban en el fuego y planchaban con carbón". El grabado artístico en metal sobrepasaba el marco de la predestinación decorativa. Los maestros creaban figuras de divinidades del budismo de tamaño hasta de 40 cm. Estas esculturas incomparables estaban pulidas hasta tener un matiz azulado y brillaban como el vidrio, según dice la gente que los vió. No sin razón en las leyendas dicen que "las figuras están hechas más blancas que la plata, pulidas como el hielo y adornadas con piedras finas".

En toda Mongolia se había divulgado el oficio de la joyería. Los maestros a menudo adornaban los artículos de bronce y hierro con ornamentos de oro y plata, más tarde cuando usaban el oro y plata como adornos, cubrían las finas laminas de plata con ornamentos complicados al relieve, con hilos de plata hacían entrelazamientos caprichosos, afiligranados de volutas nacionales, la filigrana mongola. Adornos de cabeza, coronas, horquillas, colgantes de las mujeres jalja, dariganga, uzumchin, buriatas y de mujeres de la Mongolia occidental, se hacían en una armadura de plata con ornamentos filigranos de oro y plata con coral, turquesa y otras piedras preciosas. Este oficio fino y complejo en manos de los artífices, en muchas ocasiones, llegaban a lograr el alto nivel del arte de la joyería.

El grabado en metal de los maestros mongoles causa admiración. Sus obras pueden rivalizar con el finísimo grabado en sándalo y en marfil de los artistas de la India y China. En los museos de la República Popular de Mongolia hay cuchillos en vainas, eslabones, diversas fundas, sellos, cachimbas en los cuales con maestría están acuñados los 12 animales del calendario lunar, ornamentos en relieve, emblemas con incrustación en oro.

Desde la edad de bronce los mongoles guardan la tradición de la maestría de la fundición y a fines del siglo XIX se divulgó la fundición de bronce en color, latón y de la aleación con el cobre. Fundían instrumentos musicales para ritos y otros objetos del culto, incensario, pebeteras. Diversas campanillas, gongs colgantes y manuales se preparaban por método de fundición. Cada maestro tenía su propio secreto de fundición y ajuste. Así, las 600 campanillas hechas por el eminente maestro de Urgo, Dagvadorzh a principios del siglo XX, se diferenciaban entre sí por la decoración, ornamentos, guarnición y por su resonancia especial. La campanilla–danshig, bien preparada y afinada correctamente, da un sonido asombrosamente limpio y melódico que vibra mucho rato y suena como un diapasón. Cuando fundían las obras complicadas de gran tamaño, aplicaban el método de fundición destilatoria, cuya instrucción escribió a su tiempo el famoso escultor del siglo XVII G. Zanabazar. A lo largo de muchos años lo aprovechaban los maestros, fundidores, entre ellos Dagvadorzh.

Los mongoles desde hace mucho tiempo confeccionaban en madera los utensilios de cocina, yurtas, carros, arcas /cofres/, baldes, vajillas, instrumentos musicales, etc. Los escultores esculpían juegos de ajedréz, jorol /juego mongol parecido al dominó/, figuras de animales, clisé para impresión de libros, burjan /estatuillas de dioses/, artículos muy finos de alto valor artístico.

Los carpinteros y ebanistas mongoles prestaban atención especial al secado correcto y preparación de la madera. El maestro se preocupaba por la calidad del material aun antes de cortar el árbol en el bosque. Primero le quitaban la corteza al árbol, así lo dejaban secar durante largo rato y sólo después los acerraban y sacaban el duramen. Lavaban en el río la brea y si era necesario lo cocinaban en el agua.

Algunos utensilios, tales como el lebrillo para abrevadero del ganado y diversos morteros, eran vacidos en madera fuerte; las cucharas, tazas, amasadoras y diversos cucharones, fundamentalmente preferían hacerlos de abela /álamo temblón/, pues ésta no tiene sabor extraño. Los carpinteros hábilmente usaban las cualidades naturales de los árboles, por ejemplo, para fabricar artículos doblados, el toono /el círculo que sostiene el techo de la yurta/ en verano cortaban la mitad del tronco de abedul y cuando éste se secaba hasta las raices, entonces se doblaba hacia un lado, por donde el tronco no quedó cortado.

Para el tallado artístico aprovechaban el abedul, la abela, el cornejo, el aladierna, raices de enebro, o sea tales tipos de árboles que conservan la humedad durante todo el año. Para el tallado fino también aprovechaban el sándalo, la caoba, el ébano y otros.

La confección de los instrumentos musicales nacionales de Mongolia pertenece al oficio artístico del pueblo. En la historia de la dinastía Yuan se dice que en el Palacio del Emperador Togontimur hubo una orquesta de 312 músico. Badraj a su vez escribe en su ensayo que los instrumentos musicales mongoles en su mayoría son de cuerda por punteo y de arco. En la épica de Zhangar se dice: "Cuando Agata cogía en sus manos la yataga /arpa/ de plata con 91 cuerdas, resonaba el canto del cisne que puso huevos en el juncar, el canto del pato que puso huevos en el lago". El instrumento musical nacional más conocido es el morinjuur. El mástil del morinjuur es coronado orgullosamente con una, dos o tres bellas cabezas expresivas de caballo, bajo el cual, a veces, está esculpida la cabeza de un dragón. Por los costados del cuerpo y en el arco grababan diversos bellos ornamentos. Hay otro instrumento musical que se llama shanaganjuur, que se hace de un pedazo entero de madera. Los adornos le hacen no por método de grabado, sino con finas láminas de madera. Solamente siendo un maestro muy experto, podía preparar un auténtico shanaganjuur.

El clisé hecho en madera para impresión de libros y dibujos se hacía de tablas, y con el fin de evitar su deformación, lo cubrían con tallado por los cuatro lados. Los maestros preferían y apreciaban altamente el tallado de figuras íntegras a los ornamentos planos y bajorrelieves. Ellos consideraban que el tallado debe subrayar la naturaleza, la gente, la flora y la fauna, que siendo así puede adquirir un alto valor artístico.

El tallado mongol se destaca por su carácter monumental. En las figuras del ajedréz, que se encuentra en el Museo de Bellas Artes, está la figura del camello muy bien grabado, a pesar de que su tamaño es menor que el de una cajita de fósforos, se vé monumental y con aire imponente.

A principios del siglo XX en Urgo fueron invitados los famosos maestros de todos los rincones del país para cumplir los grandes encargos estatales de fines religiosos. Ellos confeccionaron en miniatura el Templo-palacio de las divinidades de Buda: Duinjoryn Loilin, Avidiin Shangad, que representan conjuntos arquitectónicos con todos los atributos complicados y prepararon el clisé en madera del Ganzhuur y Danzhuur en más de 300 tomos, colección de los tratados científicos indotibetanos en diversas ramas del conocimiento: literatura, arte, astronomía, filosofía, lógica, medicina, matemática, teología, etc. Ganzhuur contiene 1260 partes, Danzhhur, 3427, cada una teniendo de 500 a 600 páginas en tamaño de 80 × 24 cm. Todo este trabajo fue realizado en un plazo muy corto.

Los tallistas trabajaban con otros materiales, tales como hueso, piedra, ámbar. Para la guarnición de los vestidos de la fiesta religiosa Tsam que se celebraba en Urgo, hacían adornos de hueso: cocían huesos de camello, después éstos quedan blancos como la nieve.

Las mujeres que dominaban con arte la aguja eran maestras del bordado artístico. Este oficio se divide en bordado artístico, aplicación y en costura artística. Cada tipo de costura tiene su peculiaridad y carácter específico. La aplicación y costura artística eran divulgadas en las regiones nómadas. La costura tradicional artística fue encontrada en las tumbas del antíguo Estado de los hunos y los dibujos de tales alfombras de fieltro hasta ahora se encuentran en todas las provincias turco-mongolas. En el occidente de Mongolia, principalmente entre la población kasaja, actualmente se practica la aplicación artística: en telas de color rojo, marrón y negro cortan ornamentos y los cosen en las alfombras de fieltro y con tela del mismo color orlan la misma. A los mongoles les gusta adornar sus tiendas de campo de color azul con aplicación ornamental de color blanco. Los mongoles creaban aplicaciones en alfombras de fieltro, en las cubiertas de yurtas-palacios, sobre lo cual escribieron muchos viajeros europeos de aquel tiempo. La religión budista aprovechaba la aplicación para sus fines. Las maestras creaban los rollos /iconos/ de los santos del panteón budista muy brillantes, pintorescos, hechos en telas finas, como la seda natural, brocado. Los adornaban con coral, perla y turquesa. Semejantes rollos-aplicaciones a veces rivalizaban con la pintura y gradualmente la aplicación se destacó en un género independiente del arte.

A fines del siglo XIX se desarrolló ampliamente la costura artística con aplicación de sardineta de oro y plata. Los vestidos de los lamas privilegiados y príncipes se adornaban con pequeñas perlas, corales y turquesa, etc.

Además de los géneros principales antes mencionados del arte decorativo aplicado mongol hay otros géneros autóctonos: fue divulgado el método de preparación de ornamentos en relieve y artículos de cuero. Así, en Mongolia occidental cosían cantimploras de cuero, en los cuales hacían a presión dibujos de cualquier ornamento. Estos dibujos no se borraban y no desaparecían incluso cuando en ellos guardaban líquido. Tales cantimploras eran muy prácticas en las condiciones de la vida nómada, eran ligeras, fuertes y cómodas. De cuero crudo y del cuero curtido los mongoles hacían cinturones, bridones, arneses, sillas y sus adornos, botas. Además zurraban bien la gamuza y adornos de gamuza para detalles de sillas, talegas de cuero para alabardar, estuches de cachimba y caña de botas, etc.

Hubo otro género del arte—namj, tejido de diversos nudos complicados con hilos en colores en una cruz de madera. Con la ayuda de la cruz, con hilos de color azul, blanco, rojo, amarrillo, negro creaban diversos tejidos, ornamentos geométricos. La esencia consiste en lo siguiente: por el contorno de la cruz tendían los hilos en color, haciendo figuras con ángulos, figuras de hombres y animales. Otro aspecto peculiar del arte decorativo aplicado es el zumbur, parecido al ornamento en relieve. Lo hacían de manera siguiente: tomaban porcelana o marmol triturado, echaban azúcar molido, cola, haciendo una pasta espesa. Esta pasta la ponían en un recipiente con fino tubo y expremían por los contornos del futuro ornamento que se parece a un tallado fino y bajorrelieve. Después cuando se endurece la pasta, pintaban el ornamento naturalmente en color amarrillo.

En este resumen el autor trató de hablar sólo de géneros principales del arte mongol decorativo aplicado. De lo antes expuesto se puede sacar la conclusión de que desde tiempos remotos hasta hoy día este arte continuó y continua desarrollándose, que él personifica la gran experiencia de la intelegencia humana, su voluntad, belleza, aspiración a lo bello, que se distingue por el gusto artístico, finura, por su ritmo y composición originales.

Este arte atestigua elocuentemente la riqueza y el valor del patrimonio cultural multisecular, creado por el talento y trabajo incesante del pueblo mongol.

LISTA DE ILUSTRACIONES DEL TEXTO

1. Сосуд с рельефным орнаментом. Глина. АН МНР Улан-Батор
A vessel with raised ornaments. Clay. Academy of Sciences, MPR. Ulan Bator
Pot avec ornements en relief. Argile. Académie des sciences de la RPM. Oulan-Bator
Vasija con ornamentos en relieve. Arcilla. Academia de Ciencias de la RPM Ulan-Bator

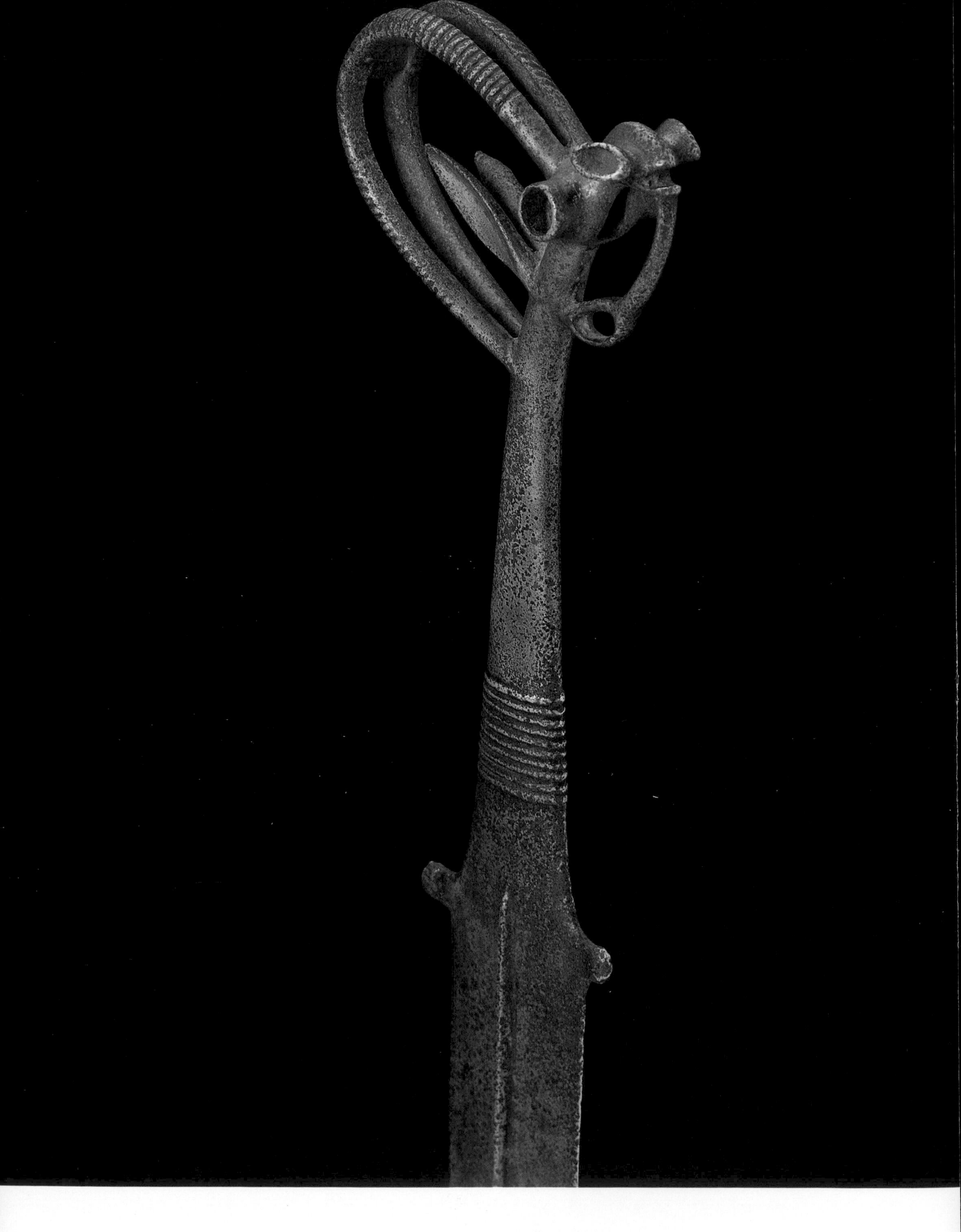

2. Бронзовый нож с головой козла на рукояти. Музей изобразительных искусств
Bronze knife with goat head on handle. Museum of Fine Arts
Couteau de bronze avec la tête de bouc à la poignée. Musée des arts plastiques
Cuchillo de bronce con cabeza de cabra en el mango. Museo de Bellas Artes

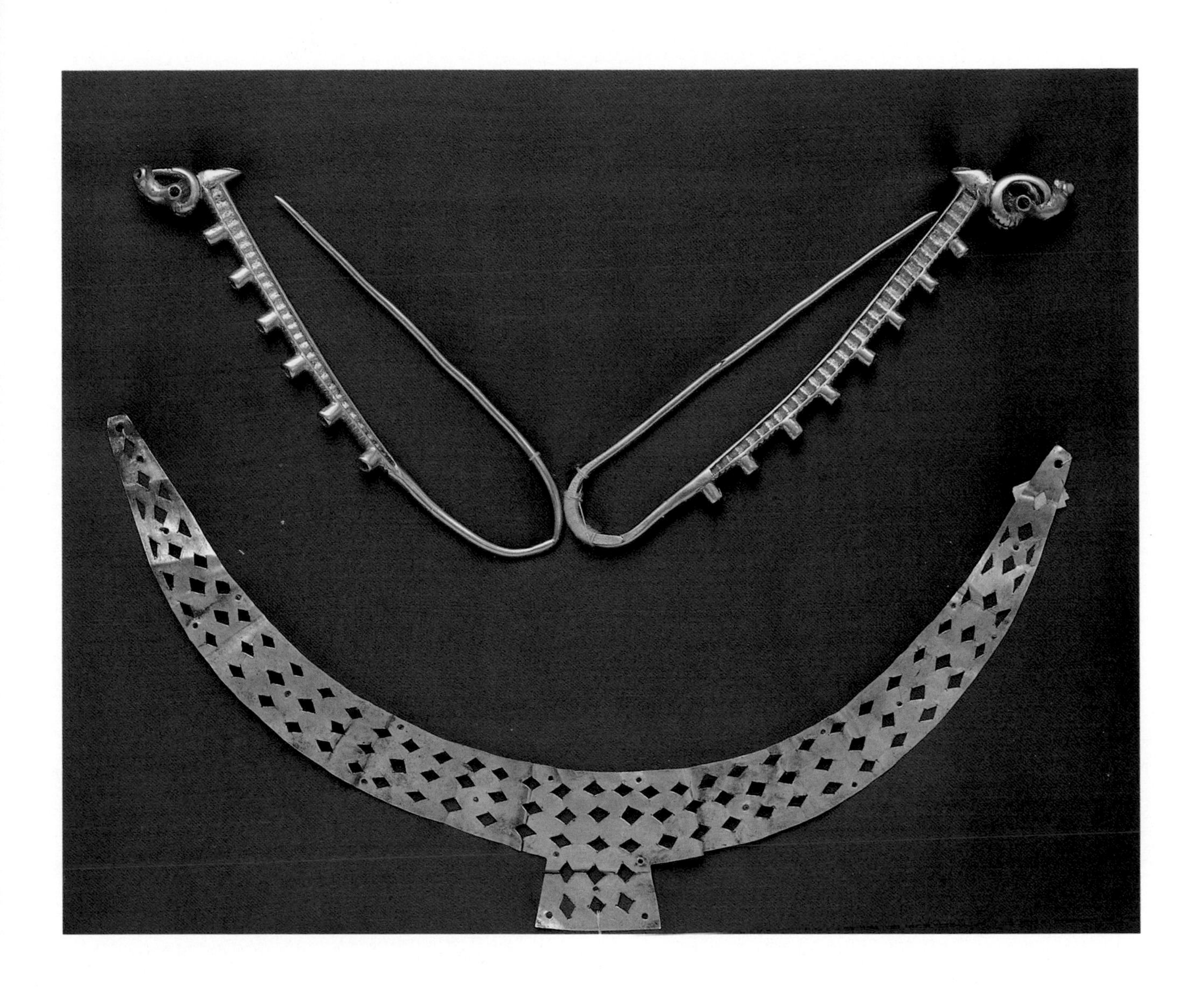

3. Заколки, украшенные скульптурными головками архаров. Золото. Государственный фонд драгоценных металлов и сокровищ
Hair-pin decorated with sculptured head of wild ram. Gold. State Fund of Precious Metals and Depository
Epingles à cheveux, ornées par les têtes des mouflons /argalis/. Or. Fond d'Etat de métaux précieux et de trésors
Horquillas adornadas con cabezas de oveja montesa. Oro. Fondo Estatal de metales preciosos y tesoros

4. Хуннский войлочный ковер. Аппликация. Государственный центральный музей
Hun felt carpet. Appliqué. State Central Museum
Tapis de feutre de l'époque des Huns. Application. Musée Central d'Etat
Alfombra de fieltro de los hunos. Aplicación. Museo Estatal Central

5. Хуннский войлочный ковер, фрагмент
Hun felt carpet. fragment
Tapis de feutre de l'époque des Huns. fragment
Alfombra de fieltro de los hunos. fragmento

6. Детали конской шлеи. Золото. Государственный фонд драгоценных металлов и сокровищ
Details of a horse breast-band. Gold. State Fund of Precious Metals and Depository
Détails de l'avaloir du cheval. Or. Fond d'Etat de métaux précieux et de trésors
Detalles de la ataharre. Oro. Fondo Estatal de metales preciosos y tesoros

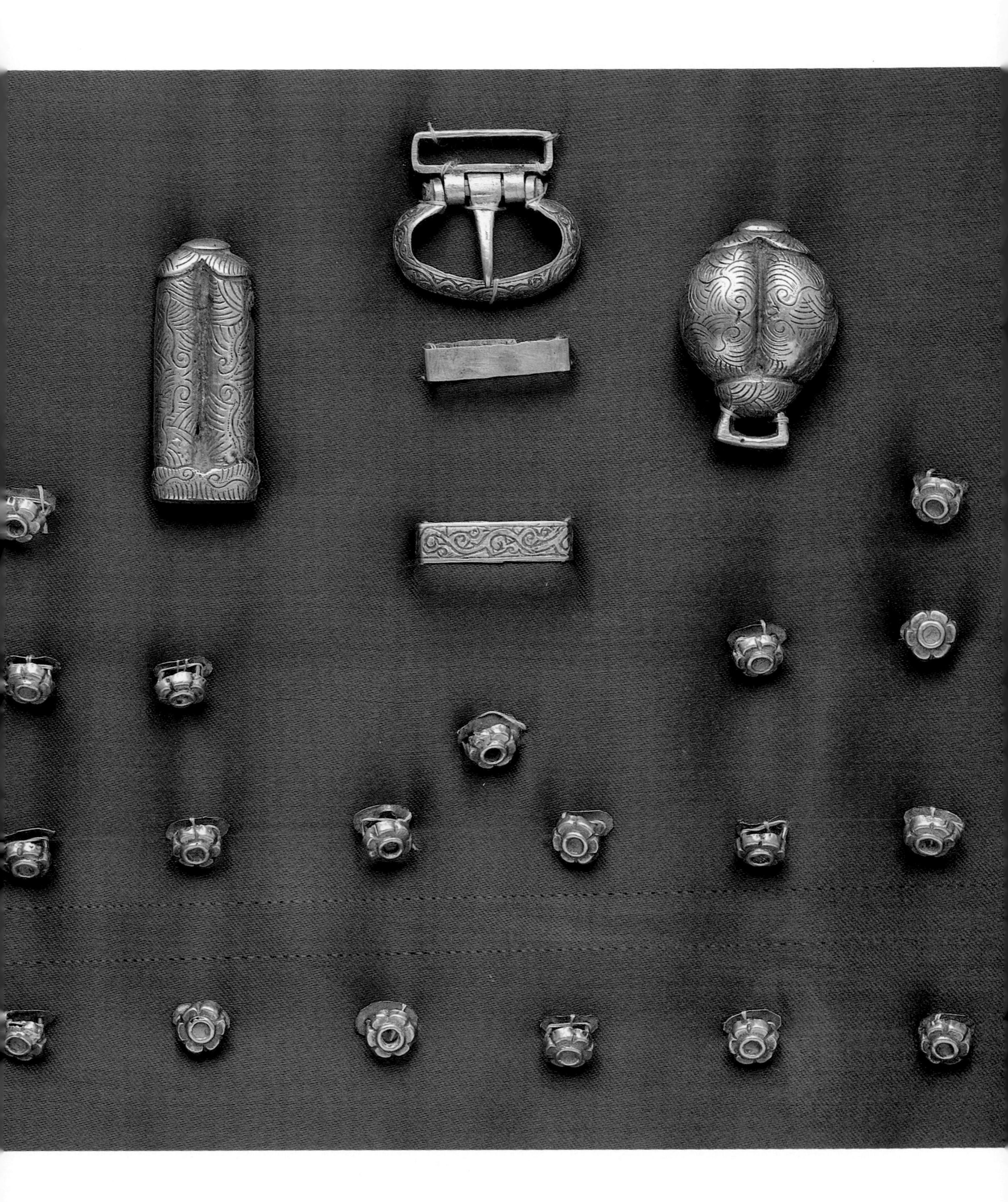

7. Детали пояса. Золото. Государственный фонд драгоценных металлов и сокровищ
Details of a belt. Gold. State Fund of Precious Metals and Depository
Détails de ceinture. Or. Fond d'Etat de métaux précieux et de trésors
Detalles del cinturón. Oro. Fondo Estatal de metales preciosos y tesoros

8. Шаманские онгоны /амулеты/ XVI в. Бурятский объединенный музей
A shaman amulets. 16th Century. Buryat United Museum
Amulettes–ongons de chaman. XVI siècle. Musée uni de Bouriatie
Amuletos del chamán. Siglo XVI. Museo Unificado de Buriatia

9. Колчан для стрел. Насечка серебром по железу. XVIII в. Бурятский объединенный музей
Quiver. Inlaid with silver on iron. 18th Century. Buryat United Museum
Carquoi pour les flèches. Entaillés d'argent sur le fer XVIII siècle. Musée uni de Bouriatie
Aljaba. Grabado en plata sobre hierro. Siglo XVIII. Museo Unificado de Buriatia

10. Колчан для стрел. Насечка серебром по железу. XVIII в. Бурятский объединенный музей
Quiver. Inlaid with silver on iron. 18th Century. Buryat United Museum
Carquoi pour les flèches. Entaillés d'argent sur le fer XVIII siècle. Musée uni de Bouriatie
Aljaba. Grabado en plata sobre hierro. Siglo XVIII. Museo Unificado de Buriatia

11. Котлы и подставки-таганы. Бронза. Музей-резиденция Богдо-хана
Cauldron and support-trivet. Bronze. Bogdo Khan residential Museum
Chaudrons et trépieds. Bronze. Musée-Résidence de Bogdo Khan
Ollas y trébedes. Bronce. Museo-residencia de Bogdo-Khan

12. Сосуды-буур. XVII век. Сталь. Государственный центральный музей
Vessel-buur. 17th Century. Steel. State Central Museum
Vaisseau–Bour. XVII siècle. Acier. Musée Central d'Etat
Vasijas-buur. Siglo XVII. Acero. Museo Estatal Central

13. Инструменты хирургии /кровопускания/. Металл. Монастырь Гандан
Surgical instrument /phlebotomy/. Metal. Gandan Monastery
Instruments chirurgiques /saignée/. Métal. Monastère Gandan
Instrumentos de cirujía /de sangría/. Metal. Monasterio Gandan

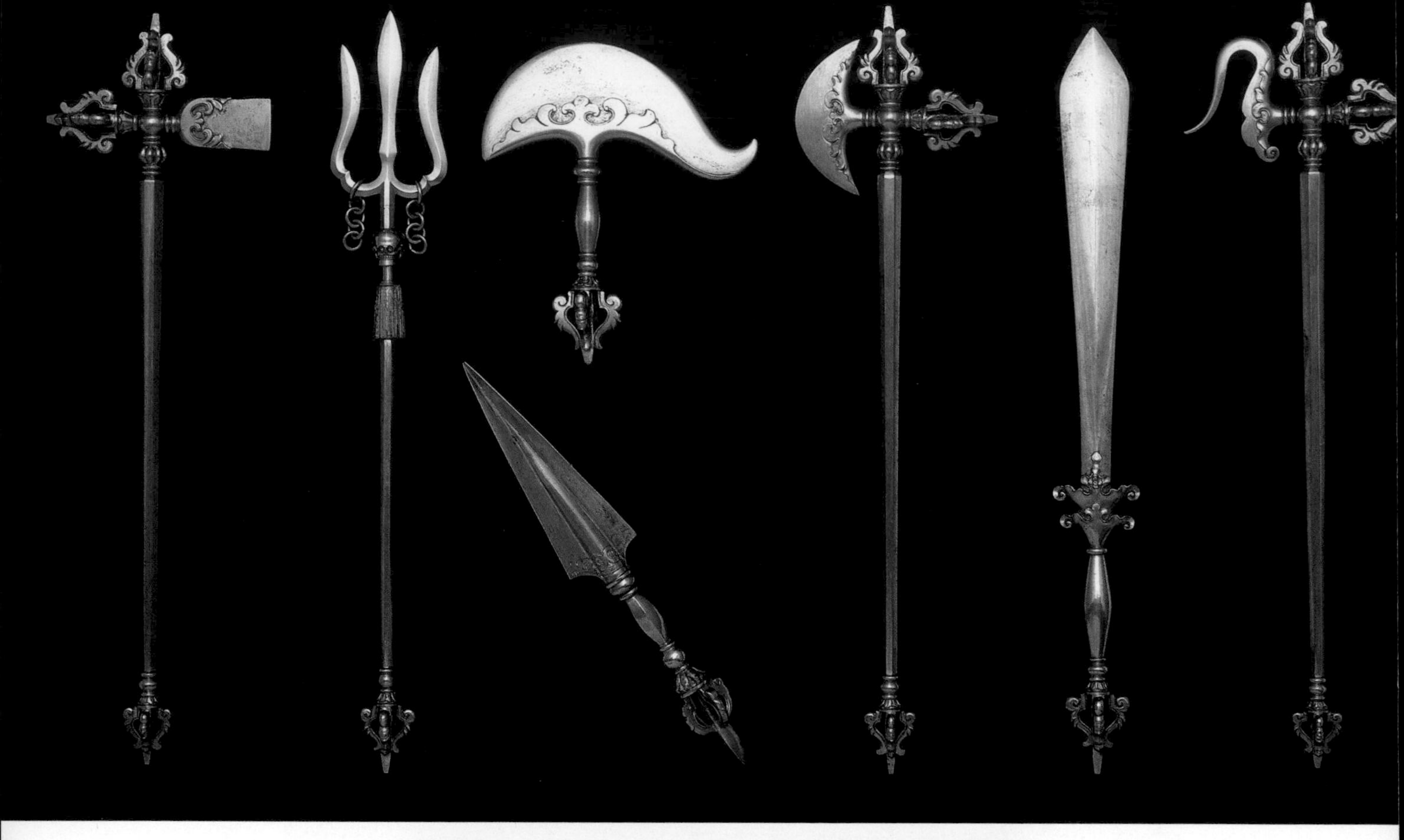

14. Ритуальные предметы. Сталь. Музей изобразительных искусств
Objects of ritual. Steel. Museum of Fine Arts
Objets rituels. Acier. Musée des arts plastiques
Objetos rituales. Acero. Museo de Bellas Artes

15. Стремена. Сталь. Баянхонгорский аймак
Stirrup. Steel. Bayanhongor aimag
Etriers. Acier. Aïmag Bayankhongor
Estribos. Acero. Provincia de Bayanjongor

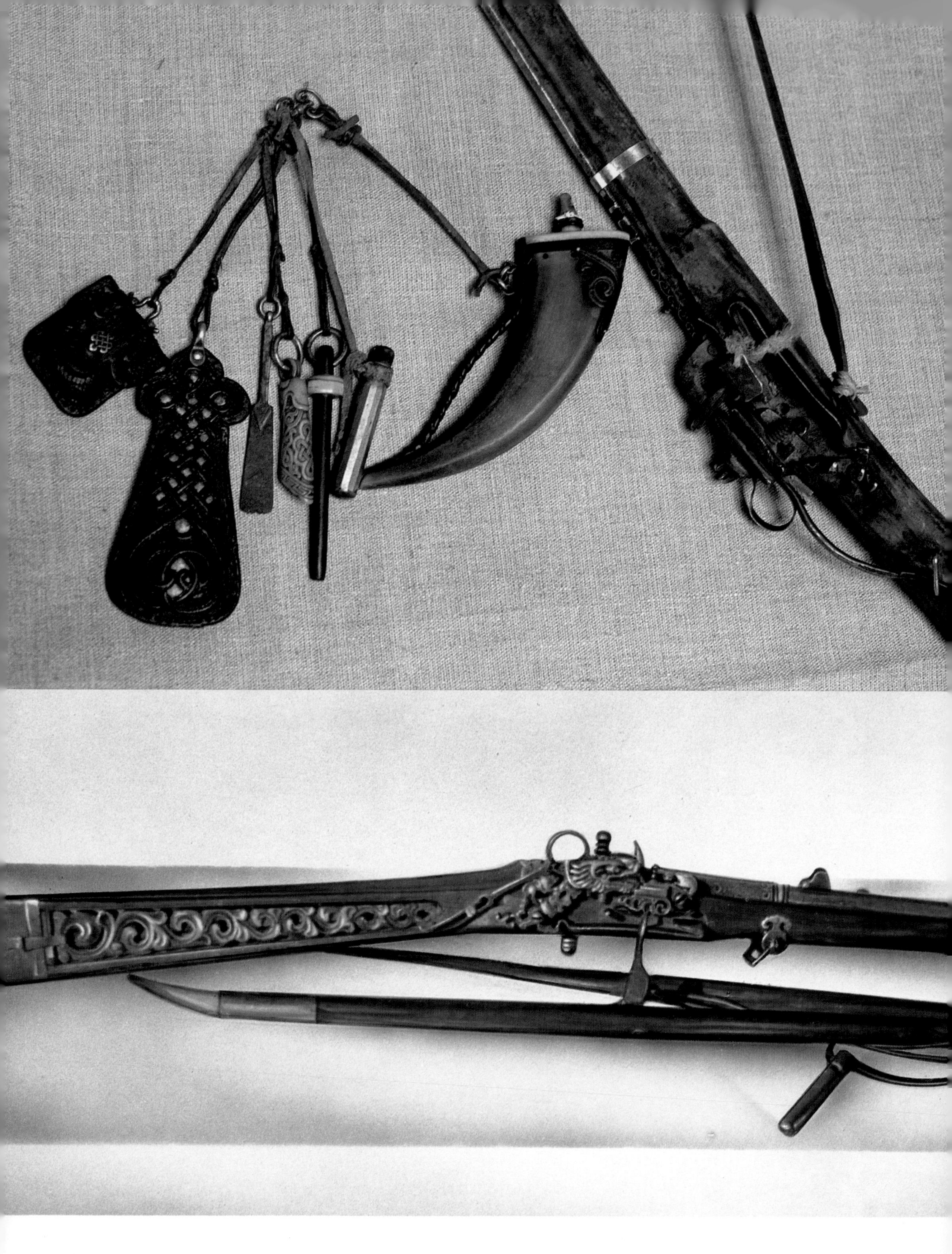

16. Кремневое ружье, затвор ружья. Железо, дерево. Центральный аймак
Flint-lock, lock. Iron, wood. Central aimag
Fusil à silex, culasse mobile. Fer, bois. Aïmag Central
Fusil de chispa, cerrojo. Hierro, madera. Provincia Central

17. Ритуальный нож-пурбу. Железо. Музей-резиденция Богдо-хана
Ritual knife—pürbü. Iron. Bogdo Khan residential Museum
Couteau rituel—pourbu. Fer. Musée-Résidence de Bogdo Khan
Cuchillo ritual—purbu. Hierro. Museo-residencia de Bogdo-Khan

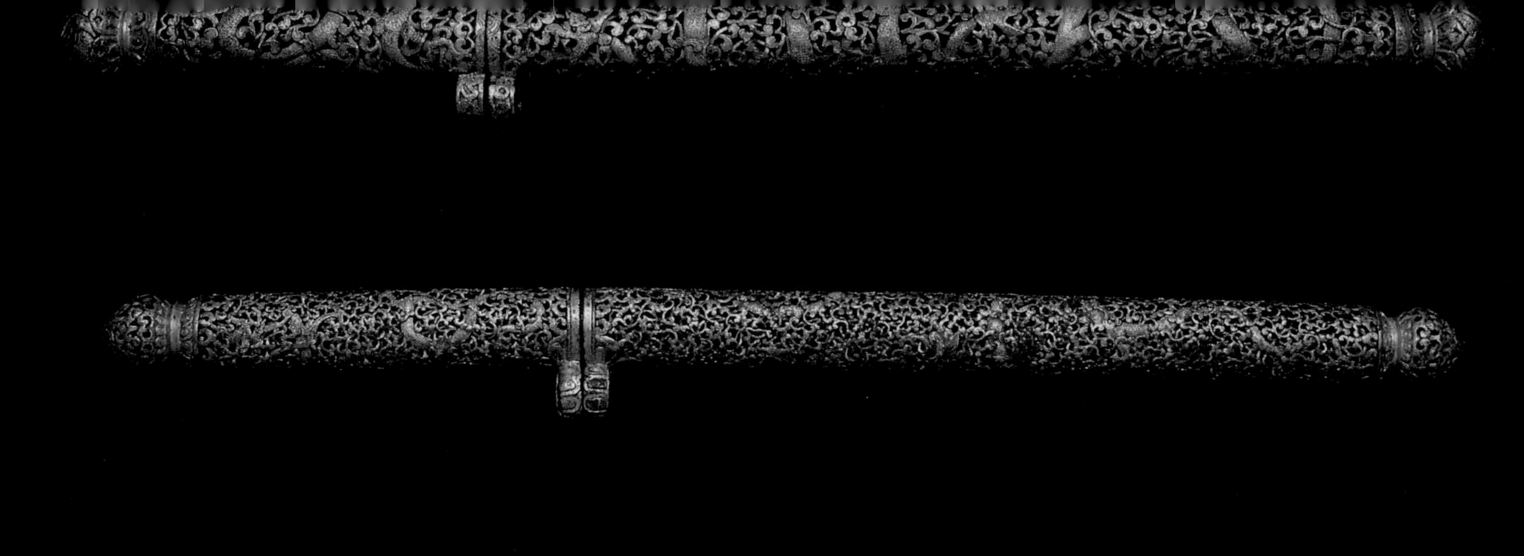

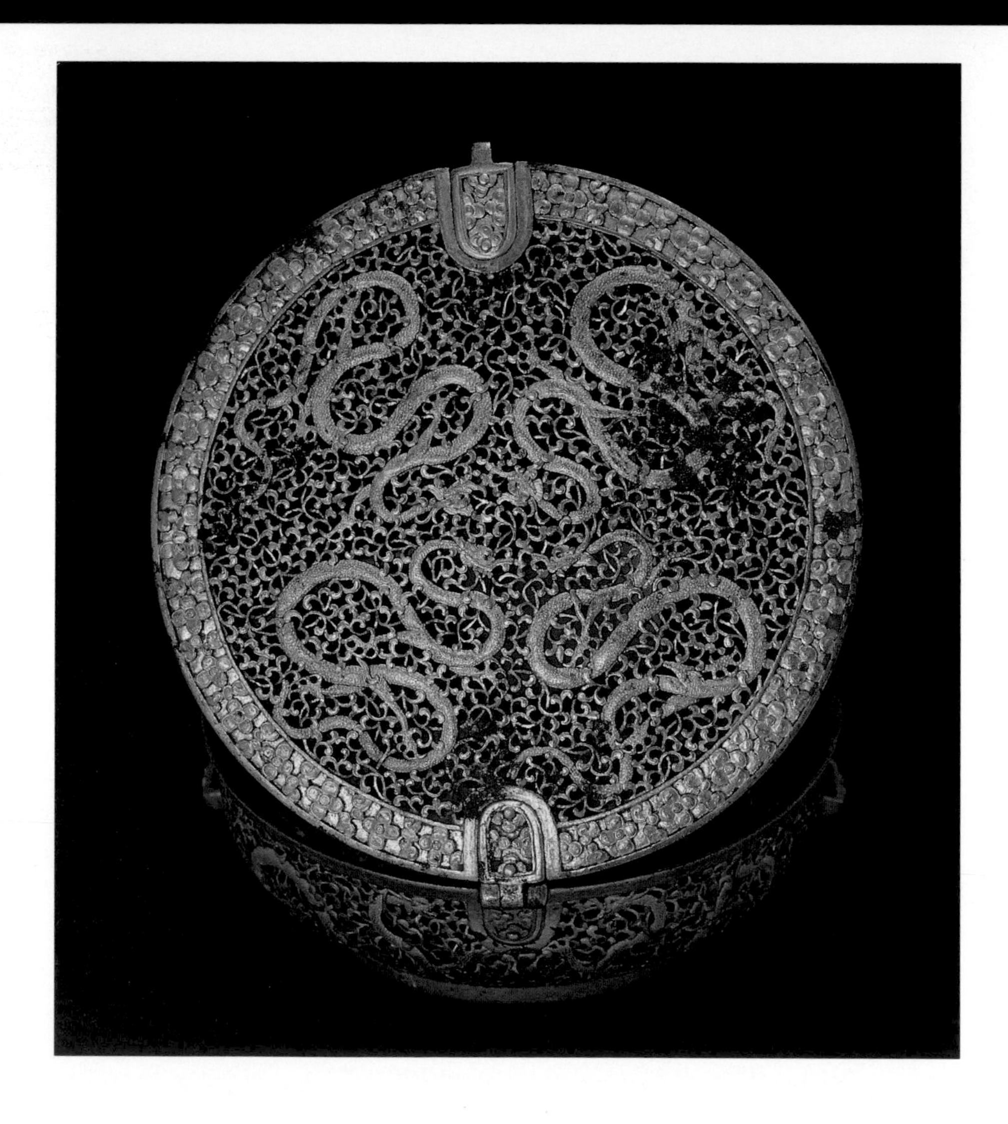

18. Футляры для ручек, чаши. Металл. Частное собрание автора
Cases for pen and cup. Metal. Personal collection of author
Etuis de plume, Etuis de coupe. Métal. Collection privée de l'auteur
Estuches para plumas y copas. Metal. Colección privada del autor

19. Ритуальный чайник-завьяа. Металл. XVII век, Музей изобразительных искусств
Ritual cup–zavia. Metal. 17th Century. Museum of Fine Arts
Théière rituelle–zaviya. Métal. /XVII siècle/. Musée des arts plastiques
Tetera ritual-zavia. Metal. Siglo XVII. Museo de Bellas Artes

20. Уаша и футляр для чаши. Металл. Музей изобразительных искусств
Cup and cup-case, Metal. Museum of Fine Arts
Coupe et étui de coupe, Métal. Musée des arts plastiques
Copa y estuche para copa. Metal. Museo de Bellas Artes

21. Набор для курительной трубки. Сталь. Частное собрание автора
Smoking pipe accessory. Steel. Personal collection of author
Accessoires pour la pipe. Acier. Collection privée de l'auteur
Juego para cachimba. Acero. Colección privada del autor

22. Кресало подвески, для ножен. Металл. Частное собрание автора
Steel drill, pendant for knife. Metal. Personal collection of author
Briquet, pendoir de gaine. Métal. Collection privée de l'auteur
Mechero, colgantes de la vaina. Metal. Colección privada del autor

23. Предметы домашнего хозяйства. Металл. Музей-резиденция Богдо-хана
Household appliances. Metal. Bogdo Khan residential Museum
Objets de ménage. Métal. Musée-Résidence de Bogdo Khan
Objetos de casa. Metal. Museo-residencia de Bogdo-Khan

24. Курильница. Серебро, драгоценные камни. Монастырь Гандан
Incense-burner. Silver, precious stones. Gandan Monastery
Cassolette. Argent, pièrres précieuses. Monastère Gandan
Pebetero. Plata, piedras preciosas. Monasterio Gandan

25. Ведро. Металл, дерево. Музей изобразительных искусств
Bucket. Metal, wood. Museum of Fine Arts
Seau. Métal, bois. Musée des arts plastiques
Cubo. Metal, madera. Museo de Bellas Artes

26. Чайник, гуц. Металл. Музей изобразительных искусств
Pot-Guts. Metal. Museum of Fine Arts
Théière, guts. Métal. Musée des arts plastiques
Tetera, guts. Metal. Museo de Bellas Artes

27. Столик, завъяа, домбо. Серебро. Музей-резиденция Богдо-хана
Table, zavia, dombo. Silver. Bogdo Khan residential Museum
Petite table, zaviya, dombo. Argent. Musée-Résidence de Bogdo Khan
Mesita, zavia, dombo. Plata. Museo-residencia de Bogdo-Khan

28. Домбо, ведро. Металл, дерево. Музей изобразительных искусств
Dombo, bucket. Metal, wood. Museum of Fine Arts
Dmbo, seau. Métal, bois. Musée des arts plastiques
Dombo, cubo. Metal, madera. Museo de Bellas Artes

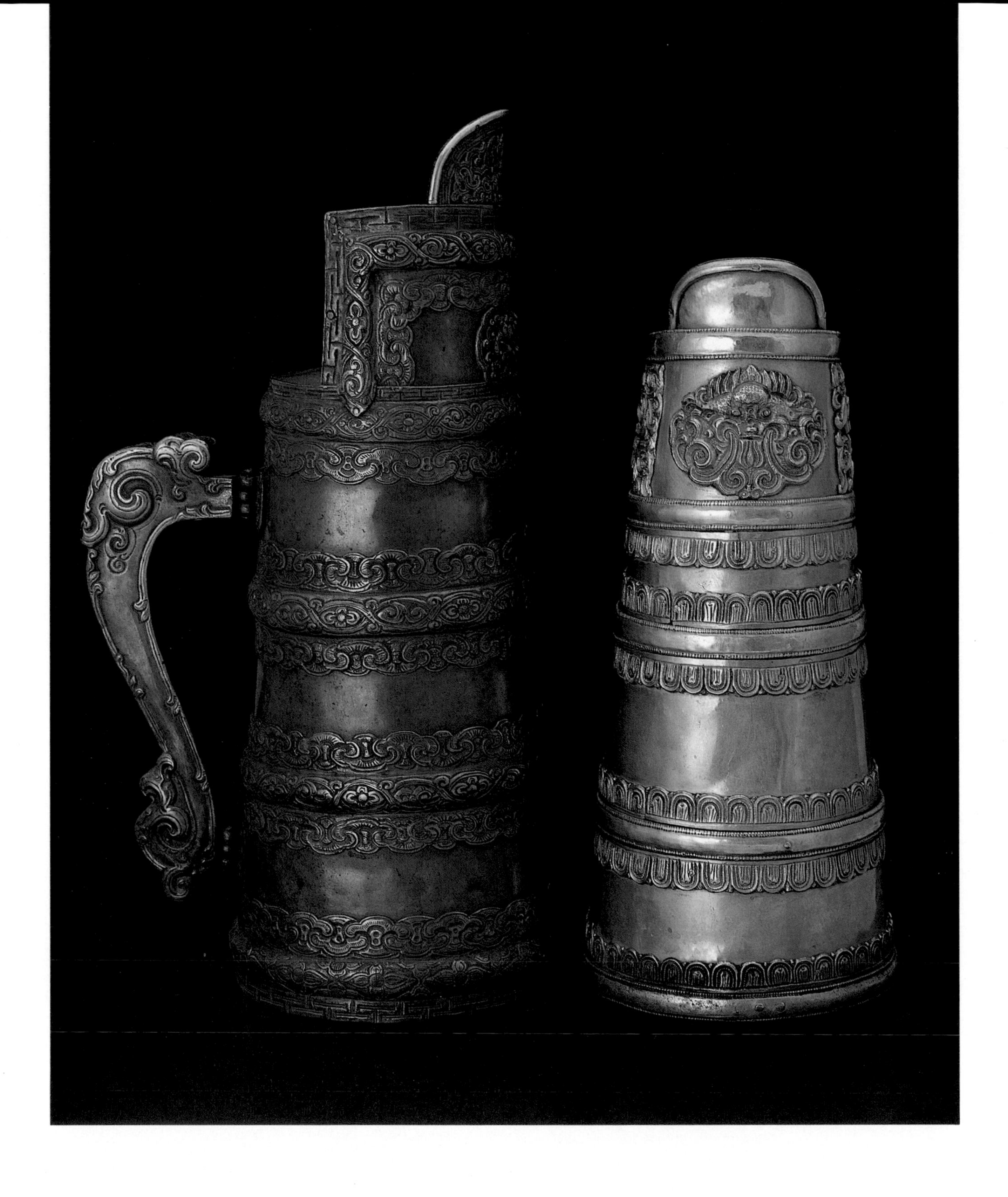

29. Домбо. Металл. Музей изобразительных искусств
Dombo. Metal. Museum of Fine Arts
Dombo. Métal. Musée des arts plastiques
Dombo. Metal. Museo de Bellas Artes

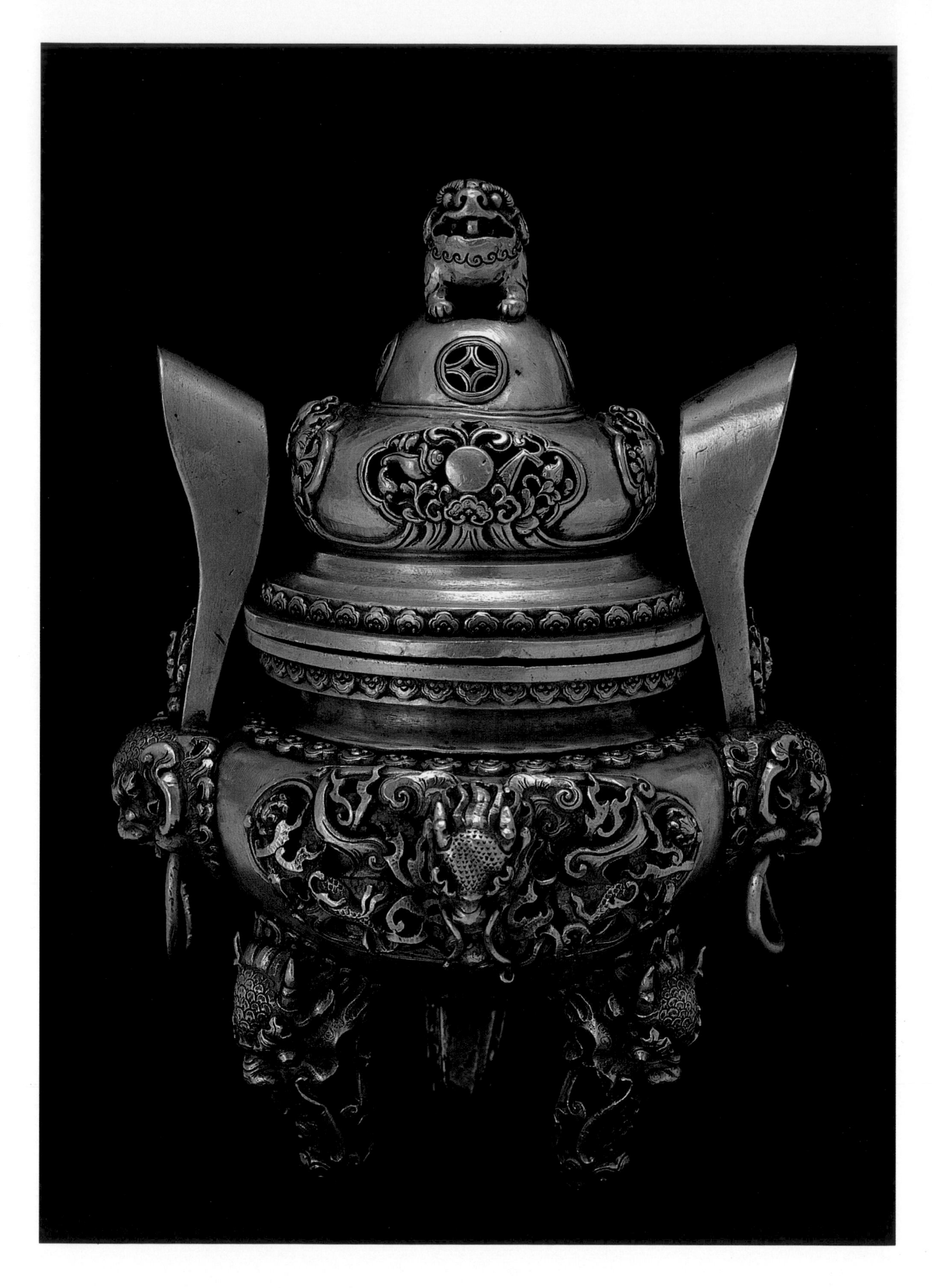

30. Эрэнтэй. Курильница. Серебро. Музей изобразительных искусств
Erentei. Incense-burner. Silver. Museum of Fine Arts
Erentei. Cassolette. Argent. Musée des arts plastiques
Erentei. Pebetero. Plata. Museo de Bellas Artes

31. Чайники-дашбумба. Серебро. Монастырь Гандан
Tea-pot–dashbumba. Silver. Gandan Monastery
Théière–dachboumba. Argent. Monastère Gandan
Teteras-deshbumba. Plata. Monasterio Gandan

32. Гэээдэв. Жертвенные амулеты. Серебро. Убурхангайский аймак
Geedev. Sacrificial amulet. Silver. Övörhangai aimag
Guéedev. Amulette de sacrifice. Argent. Aïmag Übürkhangaï
Gueedev. Amuletos de sacrificio. Plata. Provincia de Uburjangai

33. Шкатулки для благовоний. Серебро. Хэнтийский аймак
Perfume casket. Silver. Hentei aimag
Encensoir. Argent. Aïmag Khéntii
Estuche para substancias aromáticas. Plata. Provincia de Jentii

34. Завъяа, чайник с 2 горлышками Латунь. Архангайский аймак
Zavia, double-neck tea-pot. Brass. Arhangai aimag
Zaviya, théière à deux cols. Laiton. Aïmag Arkhangaï
Zavia, tetera con dos cuellos. Latón. Provincia de Arjangai

35. Мандала. Серебро. Монастырь Гандан
Mandal. Silver. Gandan Monastery
Mandala. Argent. Monastère Gandan
Mandala. Plata. Monasterio Gandan

36. Лампадники. Серебро. Монастырь Гандан
Icon-lamps. Silver. Gandan Monastery
Lampas d'icône. Argent. Monastère Gandan
Lamparillas. Plata. Monasterio Gandan

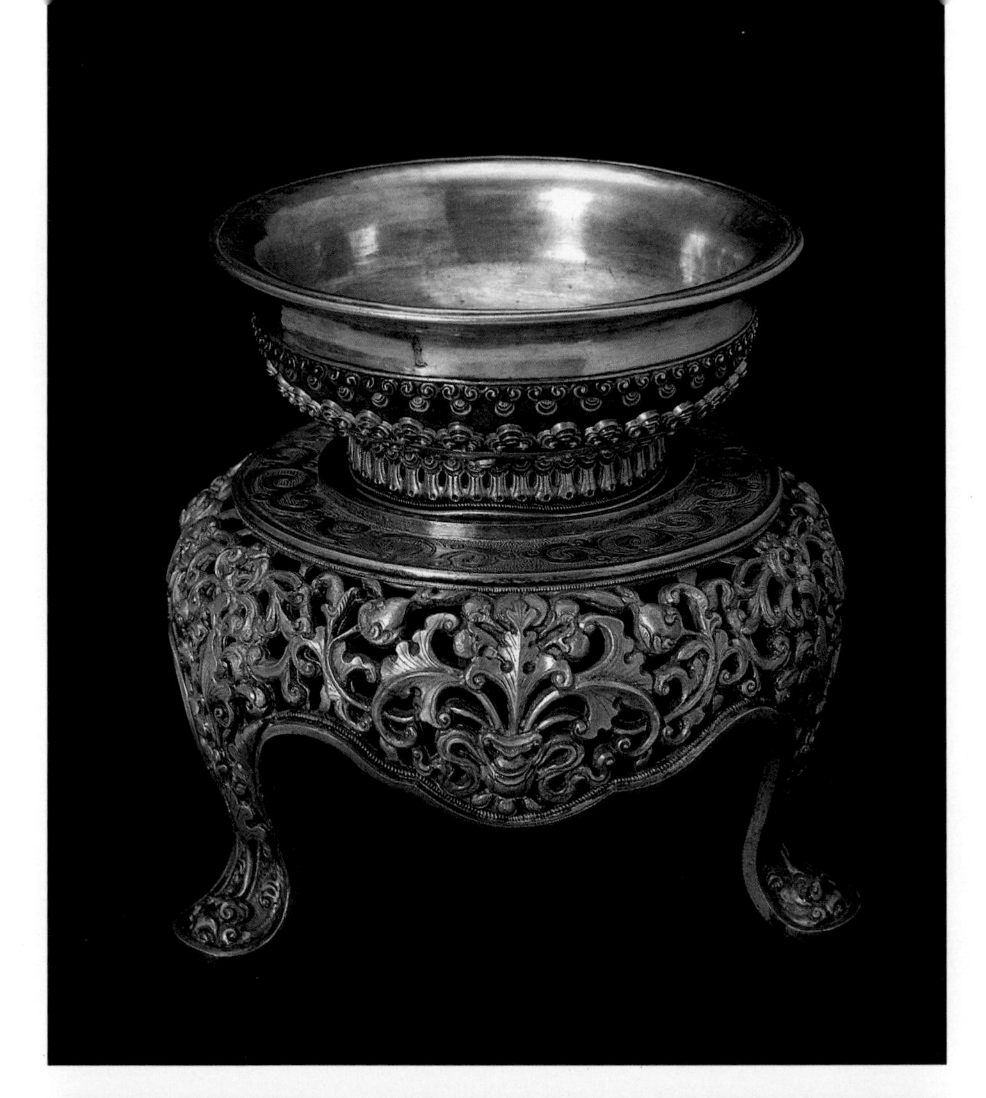

37. Чаши, подставка. Серебро. Государственный центральный музей
Cup, support. Silver. State Central Museum
Coupes, support. Argent. Musée Central d'Etat
Copas, pedestal. Plata. Museo Estatal Central

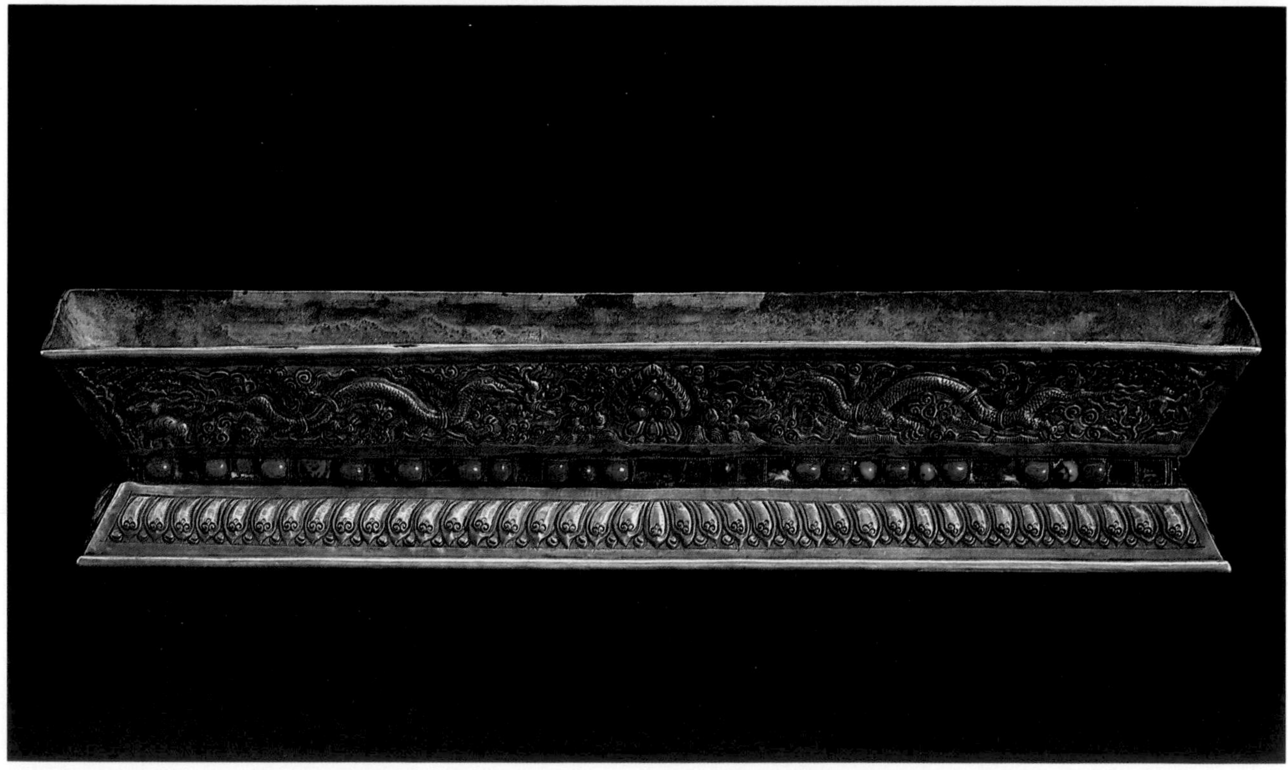

38. Колоды для благовоний. Сереборо, драгоценные камни. Монастырь Гандан
Sacrificial trough. Silver, precious stones. Gandan Monastery
Brûle-parfum. Argent, pièrres précieuses. Monastère Gandan
Estuches para substancias aromáticas. Plata, piedras preciosas. Monasterio Gandan

39. Гэадэв. Субурган. Серебро с позолотой, драгоценные камни. Убурхангайский аймак
Geedev. Stupa. Silver gilded, precious stones. Övörhangai aimag
Guéedev. Stupa. Argent doré, pierres précieuses. Aïmag Übürkhangaï
Gucdev. Suburgan. Plata con dorado, piedras preciosas. Provincia de Uburjangai

40. Субурганы. Серебро с позолотой, драгоценные камни. Забханский аймак
Stupas. Silver gilded, precious stones. Zavkhan aimag
Stupas. Argent doré, pièrres précieuses. Aïmag Zabkhan
Los suburgan. Plata con dorado, piedras preciosas. Provincia de Zabjan

41. Тара и пантеон божеств. в окладе-гау. Серебро. Музей-резиденция Богдо-хана
Goddess tara and pantheon of idol. in setting-gau. Silver. Bogdo Khan residential Museum
Tara et panthéon de divinités. en châssis–gau. Argent. Musée-Résidence de Bogdo Khan
Tara y panteón de divinidades. en un enchapado-gau. Plata. Museo-residencia de Bogdo-Khan

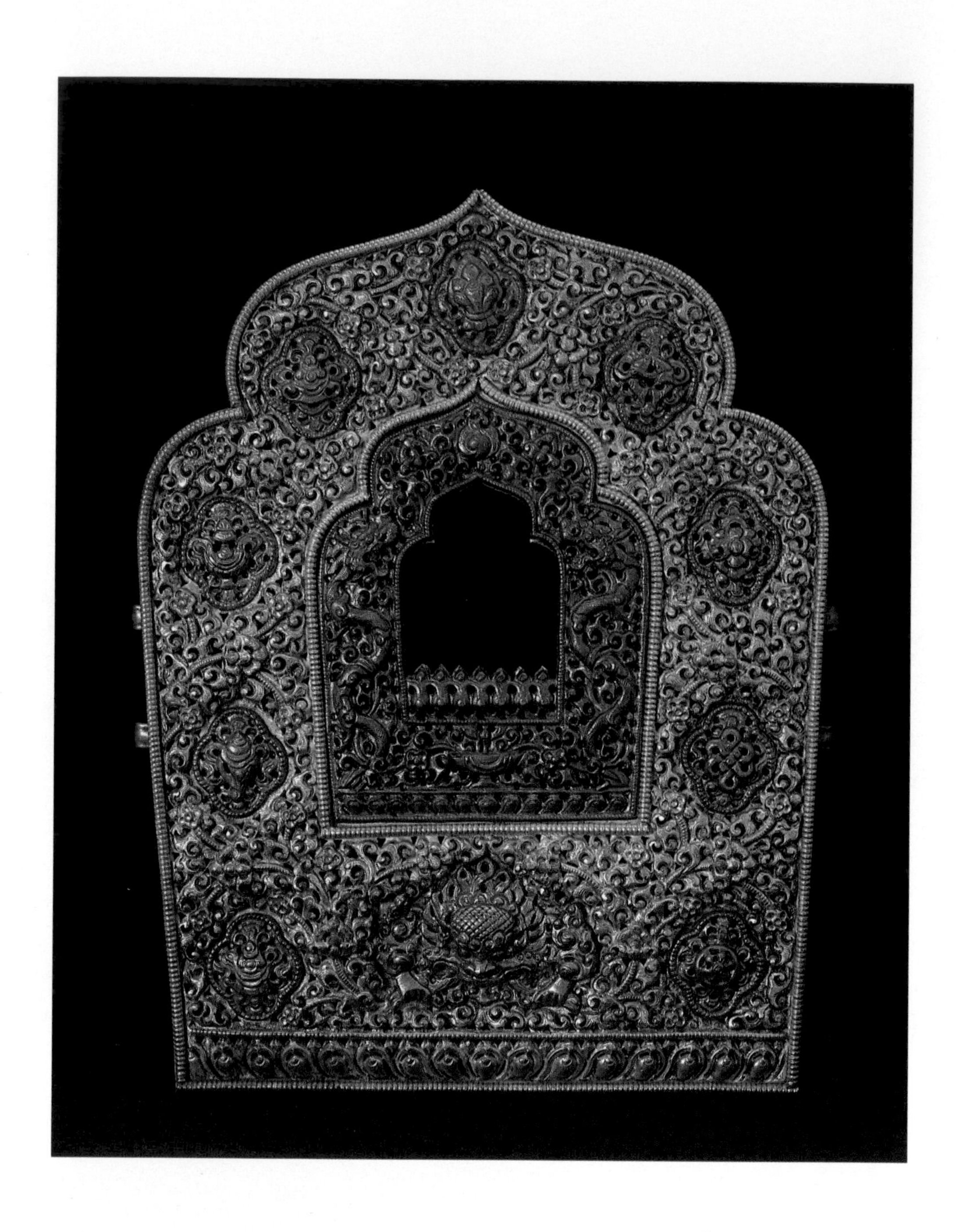

42. Гау-оклад иконы. Серебро. Частное собрание автора
Gau-framework of icon. Silver. Personal collection of author
Gau–châssis d'icône. Argent. Collection privée de l'auteur
Enchapado-gau del icono. Plata. Colección privada del autor

43. Гапала-ритуальная чаша. Серебро. Монастырь Гандан
Gapal-ritual cup. Silver. Gandan Monastery
Gapala–coupe rituelle. Argent. Monastère Gandan
Gapala-copa ritual. Plata. Monasterio Gandan

44. Диадема ламы. Бронза XVIII в. Бурятский объединенный музей
Diadem of lama. Bronze 18th Century. Buryat United Museum
Diadème de lama. Bronze. XVIII siècle. Musée uni de Bouriatie
Diadema del lama. Bronce. Siglo XVIII. Museo Unificado de Buriatia

45. Шкатулка для печати. Золото, серебро. Государственный фонд драгоценных металлов и сокровищ
Seal box. Gold, silver. State Fund of Precious Metals and Depository
Cassette de sceau. Or, argent. Fond d'Etat de métaux précieux et de trésors
Estuche para sello. Oro, plata. Fondo Estatal de metales preciosos y tesoros

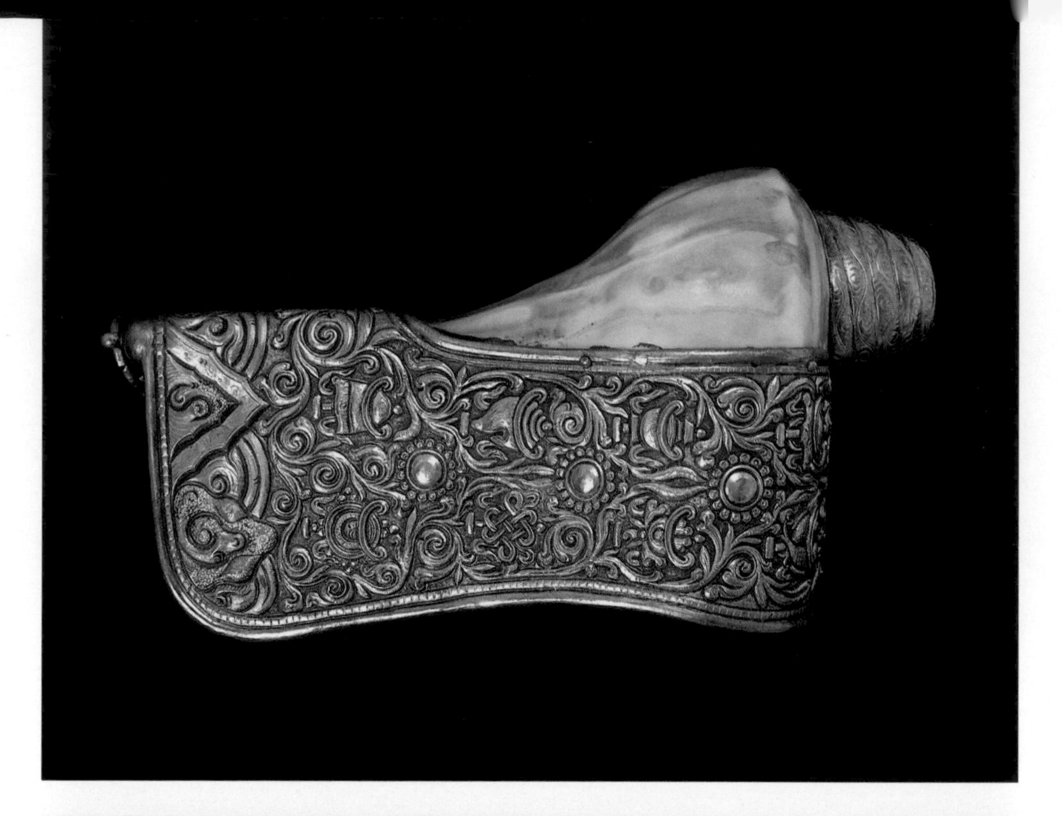

46. Раковины. Серебро. Музей-резиденция Богдо-хана
Conch. Silver. Bogdo Khan residential Museum
Coquilles. Argent. Musée-Résidence de Bogdo Khan
Caracoles. Plata. Museo-residencia de Bogdo-Khan

47. Раковины. Серебро. Монастырь Гандан
Conch. Silver. Gandan Monastery
Coquilles. Argent. Monastère Gandan
Caracoles. Plata. Monasterio Gandan

48. Курильница. Латунь. Музей-резиденция Богдо-хана
Incense-burner. Brass. Bogdo Khan residential Museum
Cassolette. Laiton. Musée-Résidence de Bogdo Khan
Pebetero. Latón. Museo-residencia de Bogdo-Khan

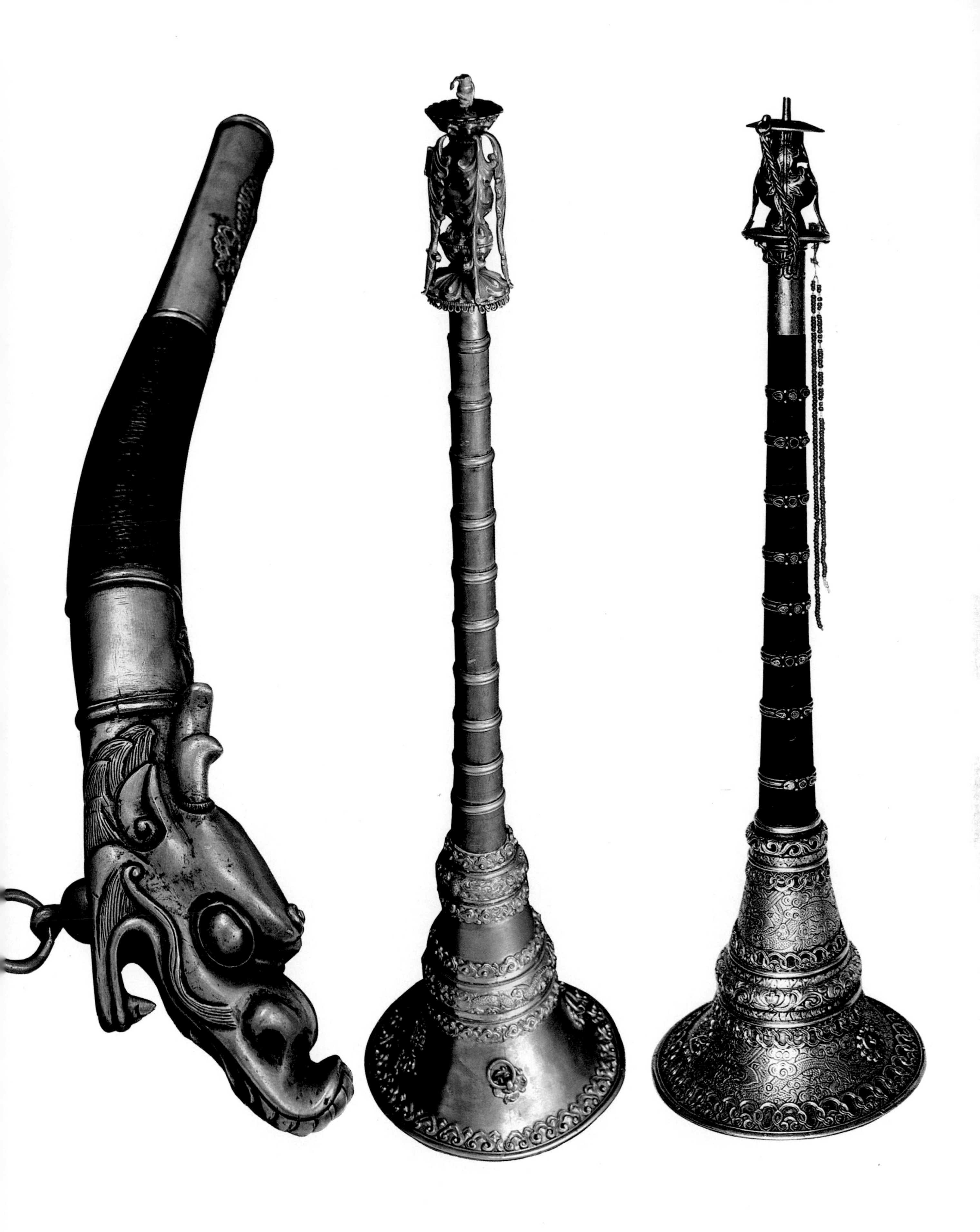

49. Музыкальные инструменты. Серебро, позолота, металл. Музей изобразительных искусств
Musical instruments. Silver, gild, metal. Museum of Fine Arts
Instruments musicaux. Argent, dorure, métal. Musée des arts plastiques
Instrumentos musicales. Plata, dorado, metal. Museo de Bellas Artes

50. Печать. Металл. Хэнтийский аймак
Seal. Metal. Hentei aimag
Sceaux. Métal. Aïmag Khéntii
Sello. Metal. Provincia de Jentii

51. Образы предыдущих перерождений Занабазара. Металл. Центральный аймак
Image of previous incarnation of Zanabazar. Metal. Central aimag
Images des régénérations antérieures de Zanabazar. Métal. Aïmag Central
Imágenes de las regeneraciones anteriores de Zanabazar. Metal. Provincia Central

52. Самбуу. Весы-дэнс. Серебро, позолота. Баянхонгорский аймак
Sambuu. Scale-dens. Silver, gild. Bayanhongor aimag
Sambou. Balance–dens. Argent, dorure. Aïmag Bayankhongor
Sambuu. Peso-dens. Plata, dorado. Provincia de Bayanjongor

53. Шахматные фигурки. Металл. Музей-резиденция Богдо-хана
Chess-men. Metal. Bogdo Khan residential Museum
Pièces d'échecs. Métal. Musée-Résidence de Bogdo Khan
Figuras del ajedréz. Metal. Museo-residencia de Bogdo-Khan

54. Авантитул книги "Жадамба" /восьмитысячестишие/ Дерево, латунь, Государственная публичная библиотека
Ante-title to the book "Jadamba" /Eighth thousandth/. Wood, brass. State Public Library
Avant-propos du sutra /livre/ "Jadamba" /stance de huit mille vers/. Bois, laiton. Bibliothèque Publique d'Etat
Tapa del libro Zhadamba /versos de ochenta mil estrofas/. Madera, latón. Biblioteca Estatal Pública

55. Книга Джадамба, Фрагмент, Будда. Золото. Государственная публичная библиотека
Jadamba. fragment of Buddha. Gold. State Public Library
Sutra "Jadamba". fragment de Boudda. Or. Bibliothèque Publique d'Etat
Libro Zhadamba. fragmento, Buda. Oro. Biblioteca Estatal Pública

56. Титульный лист книги Джадамба
Title page of the book Jadamba
Page de titre du sutra "Jadamba"
Portada del libro Zhadamba

57. Книга Джадамба. Фрагмент, Майтрея. Золото. Государственная публичная библиотека
Jadamba. fragment of Maitreya. Gold. State Public Library
Sutra "Jadamba". fragment de Maytreya. Or. Bibliothèque Publique d'Etat
Libro Zhadamba. fragmento, Maytreya. Oro. Biblioteca Estatal Pública

58. Страница книги. Серебро. Государственная публичная библиотека
A page from a book. Silver. State Public Library
Une page du sutra. Argent. Bibliothèque Publique d'Etat
Páginas del libro. Plata. Biblioteca Estatal Pública

59. Металлические клише Жадамбы. Медь. Государственная публичная библиотека
Metal eliche of Jadamba. Copper. State Public Library
Cliché metallique de “Jadamba”. Cuivre. Bibliothèquc Publique d’Etat
Cliché de metal de Zhadamba. Cobre. Biblioteca Estatal Pública

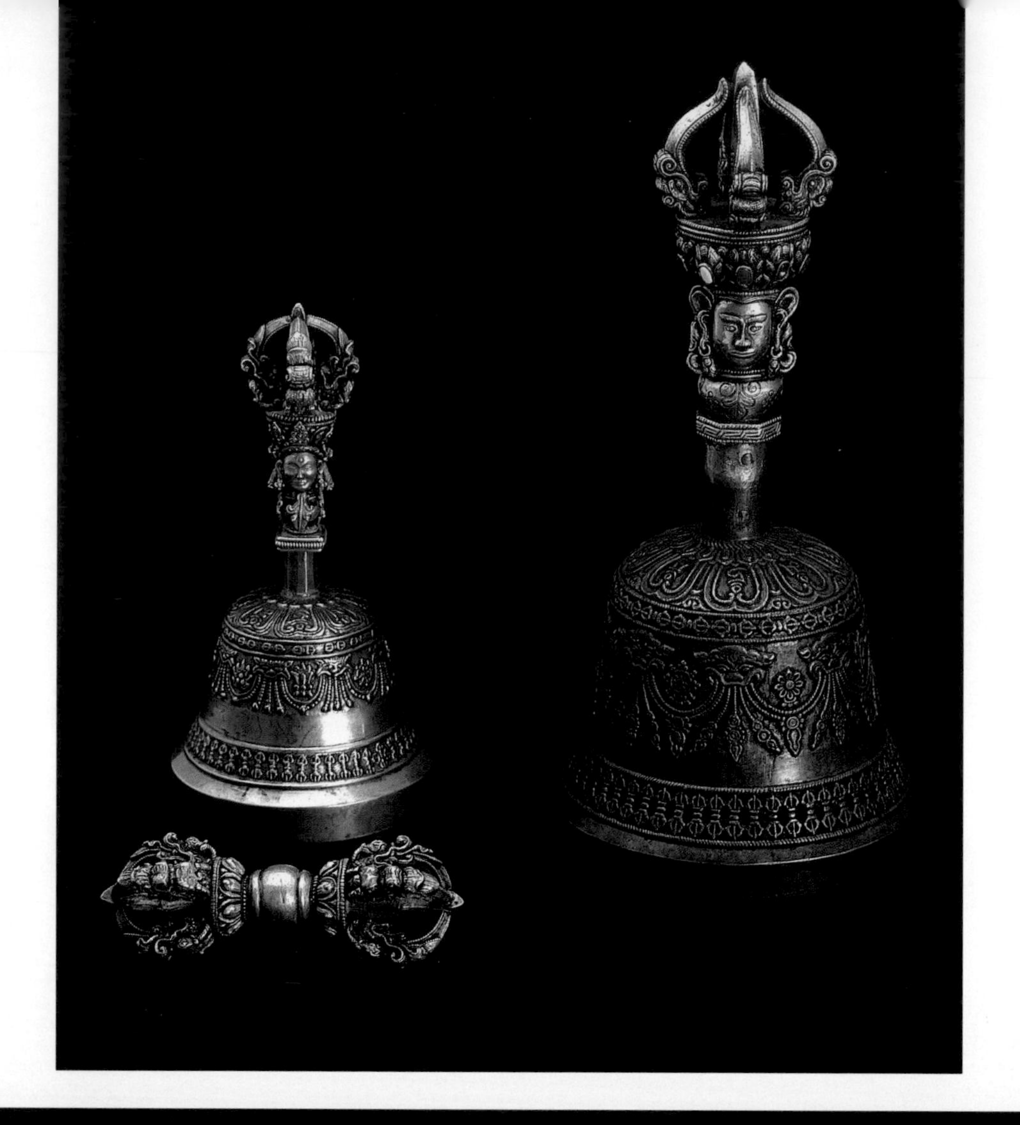

60. Колокола и ваджры. Серебро. Музей-резиденция Богдо-хана
Bells and Wazras. Silver. Bogdo Khan residential Museum
Cloches et vadjras. Argent. Musée-Résidence de Bogdo Khan
Campanas y vadjra. Plata. Museo-residencia de Bogdo-Khan

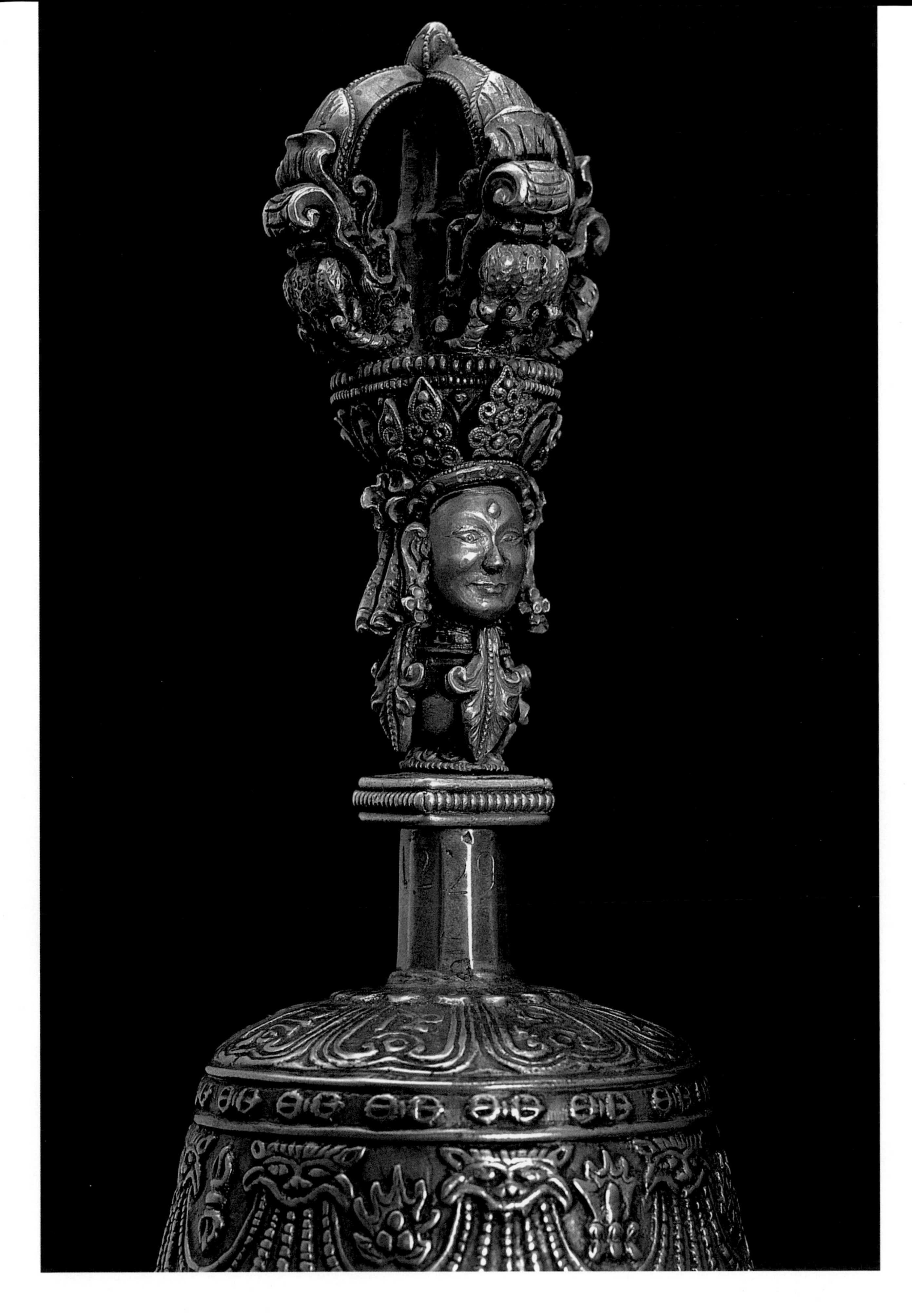

61. Головка колокола. Серебро. Монастырь Гандан
Head of bell. Silver. Gandan Monastery
Couronne de cloche. Argent. Monastère Gandan
Corona de campana. Plata. Monasterio Gandan

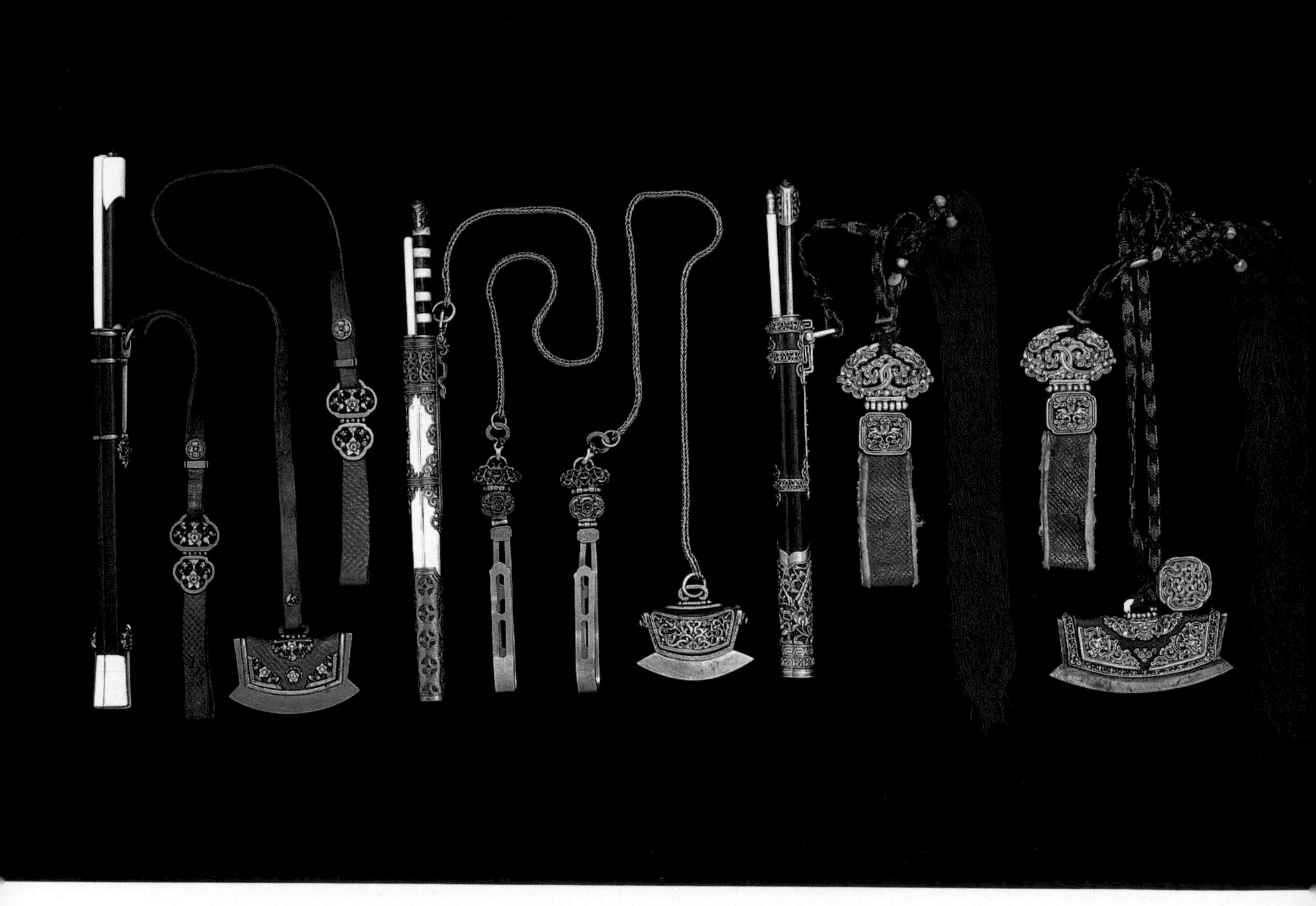

62. Ножны, кресало, подвески для ножен. Металл. Музей изобразительных искусств
Scabbard, pendant for knife. Metal. Museum of Fine Arts
Gaines, briquet, pendoir de gaines. Métal. Musée des arts plastiques
Vainas, mechero, colgantes de la vaina. Metal. Museo de Bellas Artes

63. Чавганц. Нож, кресало, повеска для ножен. Серебро. Государственный центральный музей
Chavganzs. Knife, pendant for knife. Silver. State Central Museum
Tchavgants. Couteau, briquet, pendoir de gaine. Argent. Musée Central d'Etat
Chavgants. Cuchillo, mechero, colgantes de la vaina. Plata. Museo Estatal Central

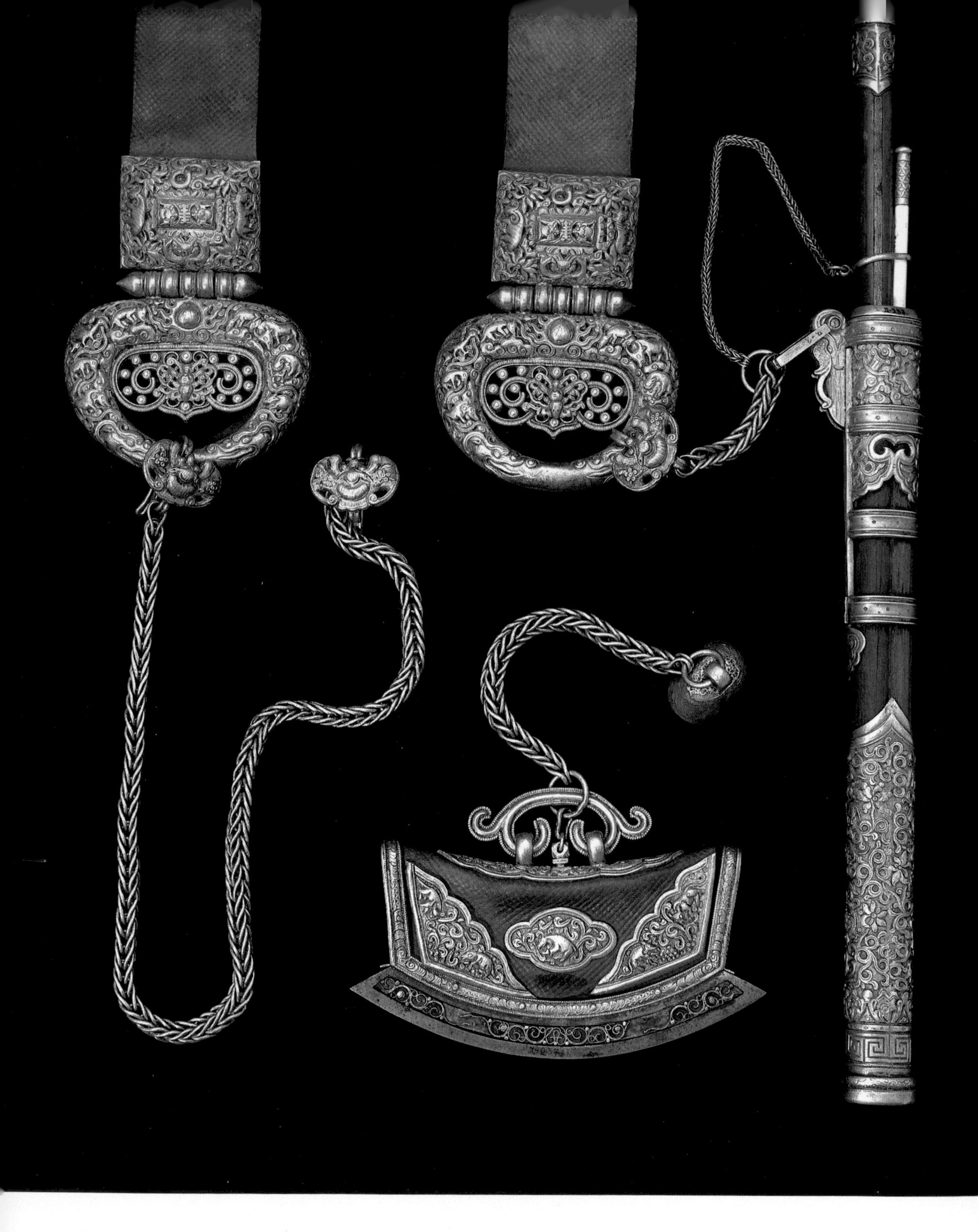

64. Нож, кресало, подвеска для ножен. Серебро. Государственный центральный музей
Knife, pendant for knife. Silver. State Central Museum
Couteau, briquet, pendoir de gaine. Argent. Musée Central d'Etat
Cuchillo, mechero, colgantes de la vaina. Plata. Museo Estatal Central

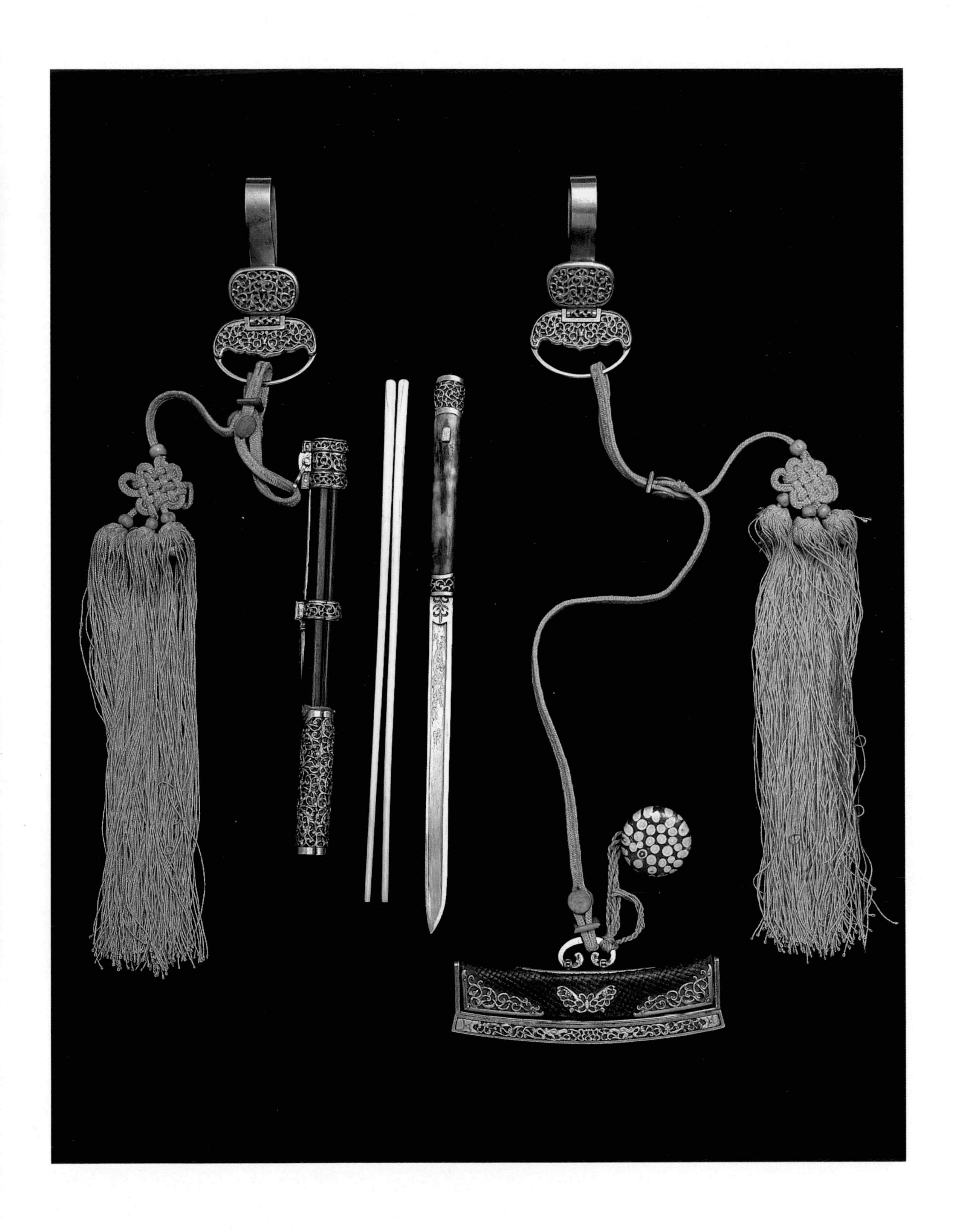

65. Нож, кресало, подвеска для ножен. Металл. Музей-резиденция Богдо-хана
Knife, pendant for knife. Metal. Bogdo Khan residential Museum
Couteau, briquet, pendoir de gaine. Métal. Musée-Résidence de Bogdo Khan
Cuchillo, mechero, colgantes de la vaina. Metal. Museo-residencia de Bogdo-Khan

66. Бор. Кресало, подвеска для ножен. Серебро. Восточногобийский аймак
Bor. Steel drill, pendant for knife. Silver. Dornogobi aimag
Bor. Briquet, pendoir de gaine. Argent. Aïmag Dornogobi
Bor. Mechero, colgantes de la vaina. Plata. Provincia de Dornogobi

67. Кресало, подвески для ножен. Золото, жемчуг. Государственный фонд драгоценных металлов и сокровищ
Steel drill, pendant for knife. Gold, pearl. State Fund of Precious Metals and Depository
Briquet, pendoir dc gaine. Or, perle. Fond d'Etat de métaux précieux et de trésors
Mechero, colgantes de la vaina. Oro, perla. Fondo Estatal de metales preciosos y tesoros

68. Чаша, табакерка, набор для курительной трубки. Серебро, коралл, халцедон. Южногобийский аймак
Cup, snuff-box, smoking pipe accessory. Silver, corall, chalcedony. South Gobi aimag
Coupe, tabatière, accéssoires pour la pipe. Argent, corail, calcédoine. Aïmag Gobi du Sud
Vaso, tabaquera, juego para cachimba. Plata, coral, calcedonia. Provincia de Umnigobi

69. Кисеты, трубка, табакерка. Шелк, халцедон, металл. Музей-резиденция Богдо-хана
Tobacco-pouch, pipe, snuff-box. Silk, chalcedony, metal. Bogdo Khan residential Museum
Blague à tabac, pipe, tabatière. Soie, calcédoine, métal. Musée-Résidence de Bogdo Khan
Petaca, pipa, tabaquera. Seda, calcedonia, metal. Museo-residencia de Bogdo-Khan

70. Головные уборы. Бархат, шелк, драгоценные камни. Государственный центральный музей
Headgear. Velvet, silk, precious stones. State Central Museum
Coiffure. Velours, soie, pièrres précieuses. Musée Central d'Etat
Gorro. Terciopelo, seda, piedras preciosas. Museo Estatal Central

71. Корона и зимняя шапка хана. Бархат, парча, шелк, бобер. Музей-резиденция Богдо-хана
Crown and winter cap of a Khan. Velvet, brocade, silk, beaver. Bogdo Khan residential Museum
Couronne et chapeau d'hiver du khan. Velours, brocart, soie, castor. Musée-Résidence de Bogdo Khan
Corona y gorro de invierno del Khan. Terciopelo, brocado, seda, castor. Museo-residencia de Bogdo-Khan

72. Головные уборы женщины. Драгоценные камни, атлас. Музей-резиденция Богдо-хана
Lady's headgear. Precious stones, satin. Bogdo Khan residential Museum
Coiffure de femme. Pièrres précieuses, satin. Musée-Résidence de Bogdo Khan
Gorro de damas. Piedras preciosas, raso. Museo-residencia de Bogdo-Khan

73. Жилеты. Жемчуг, коралл, парча, шелк. Государственный центральный музей
Jacket. Pearl, corall, brocade, silk. State Central Museum
Gilet. Perle, corail, brocart, soie. Musée Central d'Etat
Chaleco. Perla, coral, brocado, seda. Museo Estatal Central

74. Верхняя одежда вельможи и национальная одежда монгольской женшины. Соболь, парча, шелк. Государственный центральный музей

Outside garment of a dignitary and national dress of a Mongolian woman. Sable, brocade, silk. State Central Museum

Manteau d'haut dignitaire et costume national de femme mongole. Zibeline, brocart, soie. Musée Central d'Etat

Sobretodo del cortesano y traje nacional de la mujer mongola. Marta cebellina, brocado, seda. Museo Estatal Central

75. Верхняя одежда князя. Парча, жемчуг. Музей-резиденция Богдо-хана
Outer garment of a prince. Brocade, pearl. Bogdo Khan residential Museum
Manteau d'un prince. Brocart, perle. Musée-Résidence de Bogdo Khan
Sobretodo del principe. Brocado, perla. Museo-residencia de Bogdo-Khan

76. Национальная одежда женшины. Парча, шелк. Государственный центральный музей
National dress of a woman. Brocade, silk. State Central Museum
Costume national de femme. Brocart, soie. Musée Central d'Etat
Traje nacional de la mujer. Brocado, seda. Museo Estatal Central

77. Руужин. Слоновая кость. крашеная. Музей-резиденция Богдо-хана
Rüüjin-ivory. painted. Bogdo Khan residential Museum
Roujin. Ivoire. peint. Musée-Résidence de Bogdo Khan
Ruuzhin. Marfil. pintado. Museo-residencia de Bogdo-Khan

78. Руужин. Слоновая кость. Музей изобразительных искусств
Rüüjin. Ivory. Museum of Fine Arts
Roujin. Ivoire. Musée des arts plastiques
Ruuzhin. Marfil. Museo de Bellas Artes

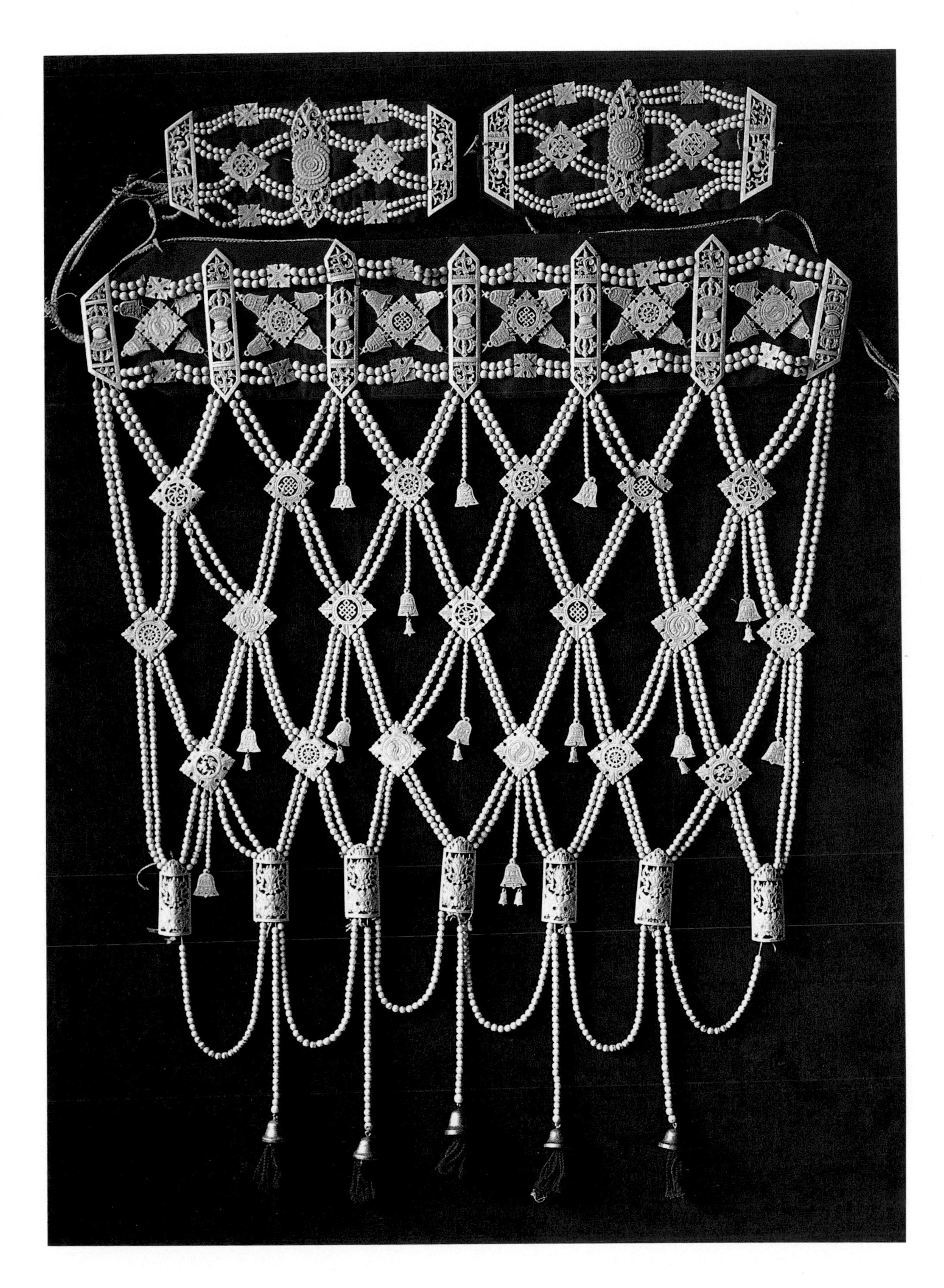

79. Очир. Руужин. Верблюжья кость. Убурхангайский аймак
Ochir. Rüüjin. Camel bone. Övörhangai aimag
Otchir. Roujin. Os de chameau. Aïmag Übürkhangaï
Ochir. Ruuzhin. Hueso de camello. Provincia de Uburjangai

80. Украшения обуви мистерии цам. Кость. Музей изобразительных искусств
Decorations on the boots of the Tsam ritual dance. Bone. Museum of Fine Arts
Décors pour les bottes de la mystérie de tsame. Os. Musée des arts plastiques
Adornos del calzado del baile ritual “Tsam”. Hueso. Museo de Bellas Artes

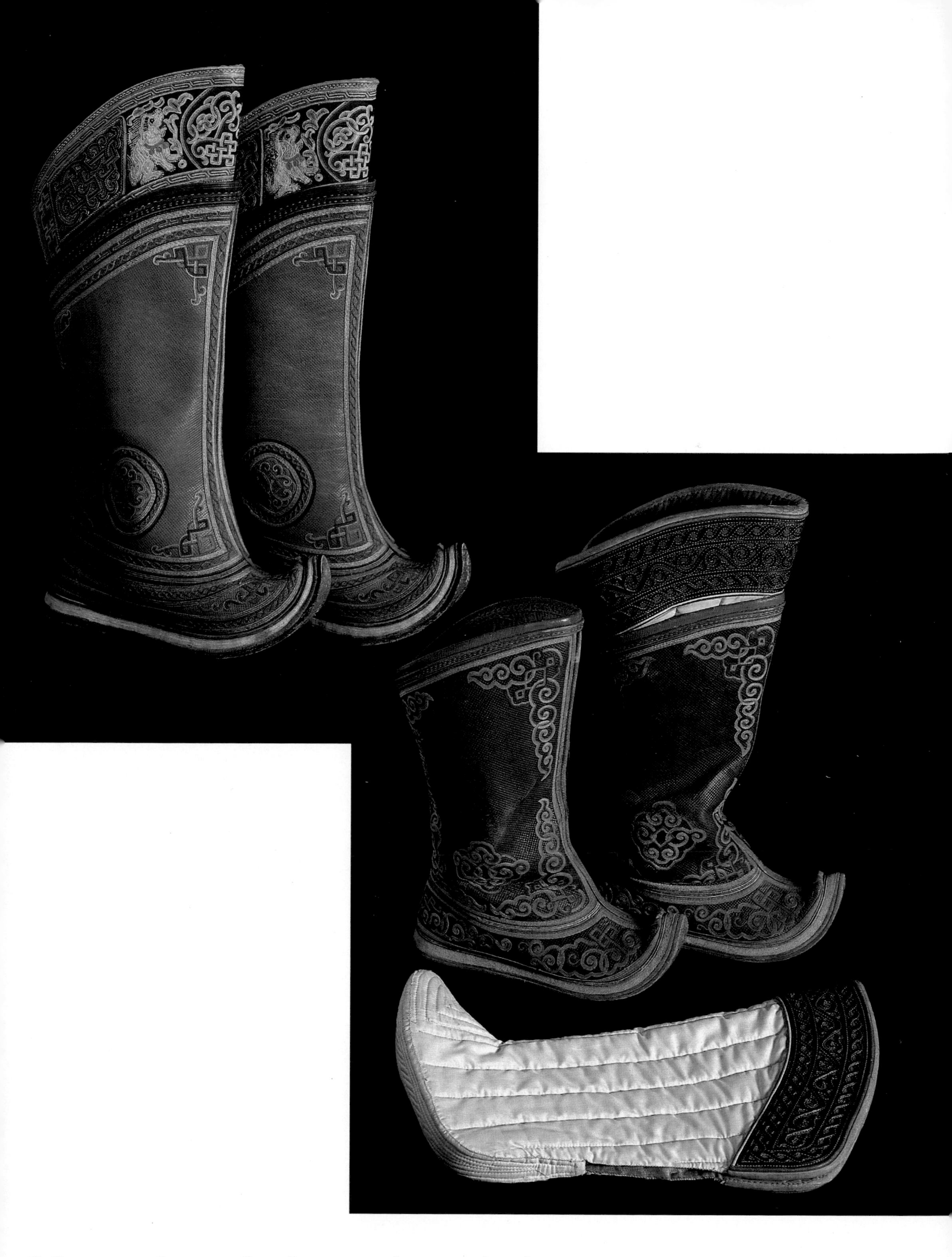

81. Национальная обувь-гутулы. Кожа. Государственный центральный музей
National boots–Gutul. Leather. State Central Museum
Chaussure nationale Goutouls. Cuir. Musée Central d'Etat
Calzado nacional-gutul. Cuero. Museo Estatal Central

82. Мужская обувь. Кожа. Музей-резиденция Богдо-хана
Gent's boots. Leather. Bogdo Khan residential Museum
Bottes pour homme. Cuir. Musée-Résidence de Bogdo Khan
Calzado de caballero. Cuero. Museo-residencia de Bogdo-Khan

83. Доржготов, Дэнсмаа. Монгольские гутулы. Сыромятная кожа. Архангайский аймак
Dorjgotov, Densmaa. Mongolian gutuls. Raw leather. Arhangai aimag
Dorjgotov, Densmaa. Goutouls mongols. Cuir d'oeuvre. Aïmag Arkhangaï
Dorzhgotov, Densma. Gutul mongol. Cuero crudo. Provincia de Arjangai

84. Головной убор халхасской женщины. Серебро, драгоценные камни. Государственный центральный музей
Headgear of a Khalkha woman. Silver, precious stones. State Central Museum
Coiffure de femme khalkhe. Argent, pièrres précieuses. Musée Central d'Etat
Gorro de la mujer de nacionalidad jalja. Plata, piedras preciosas. Museo Estatal Central

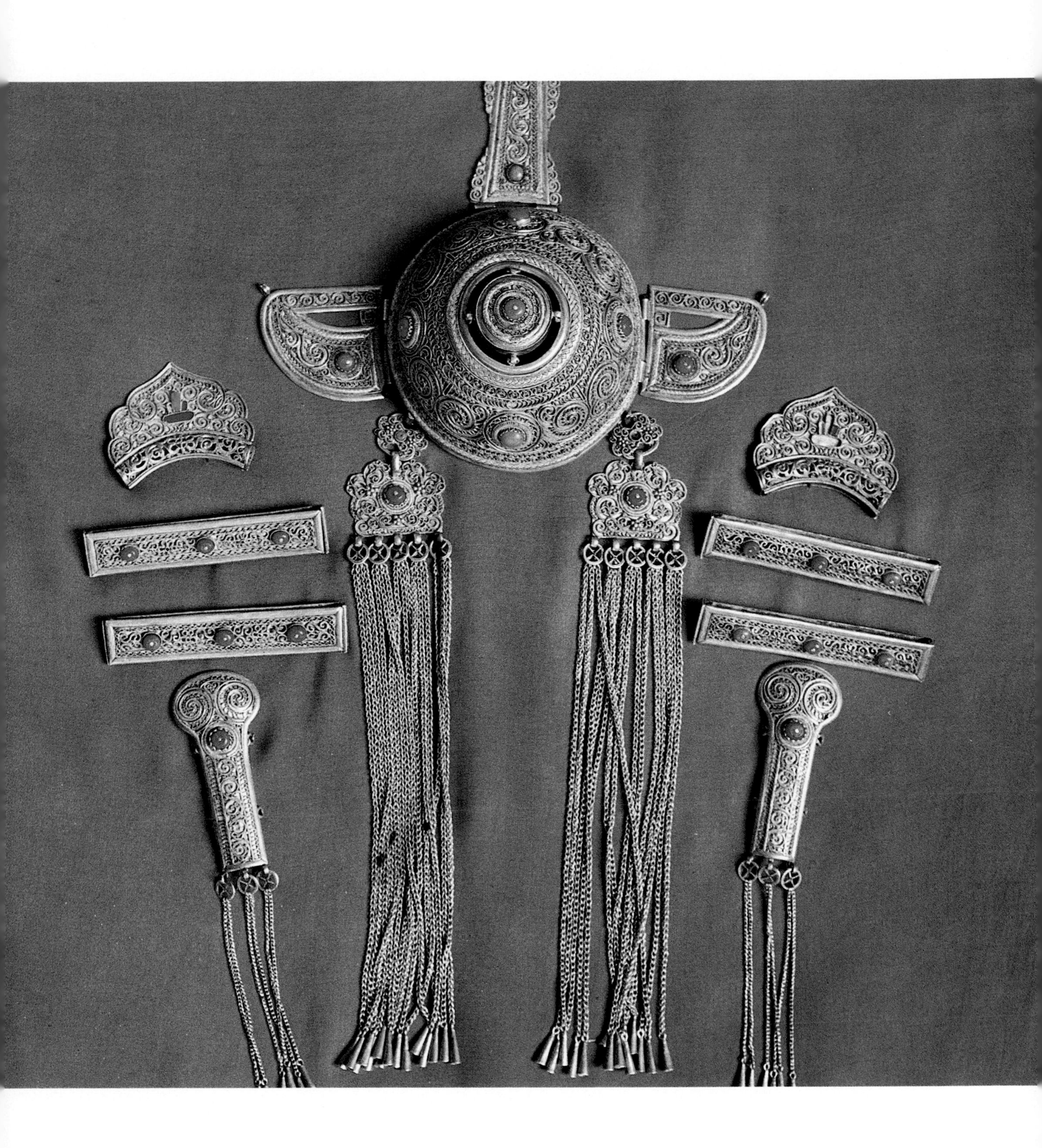

85. Лувсандорж. Головное украшение женщины. Серебро, драгоценные камни, Баянхонгорский аймак
Luvsandorj. Head decoration of woman. Silver, precious stones. Bayanhongor aimag
Louvsandorj. Coiffure de femme. Argent, pièrres précieuses. Aïmag Bayankhongor
Luvsandorzh. Adornos de cabeza de la mujer. Plata, piedras preciosas. Provincia de Bayanjongor

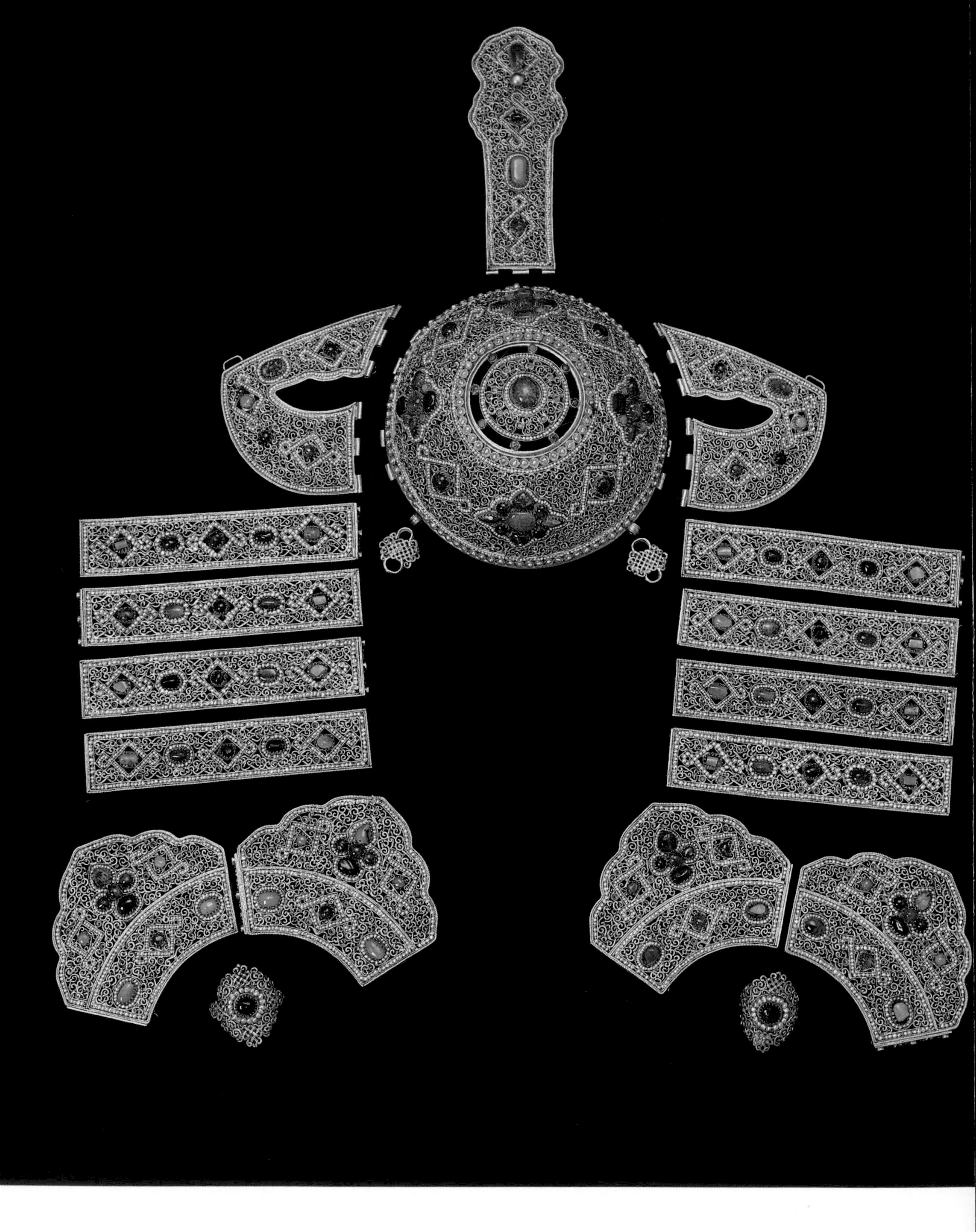

86. Головное украшение женщины. Золото, драгоценные камни. Государственный фонд драгоценных металлов и сокровищ
Women's head decoration. Gold, precious stones. State Fund of Precious Metals and Depository
Coiffure de femme. Or, pièrres précieuses. Fond d'Etat de métaux précieux et de trésors
Adornos de cabeza de la mujer. Oro, piedras preciosas. Fondo Estatal de metales preciosos y tesoros

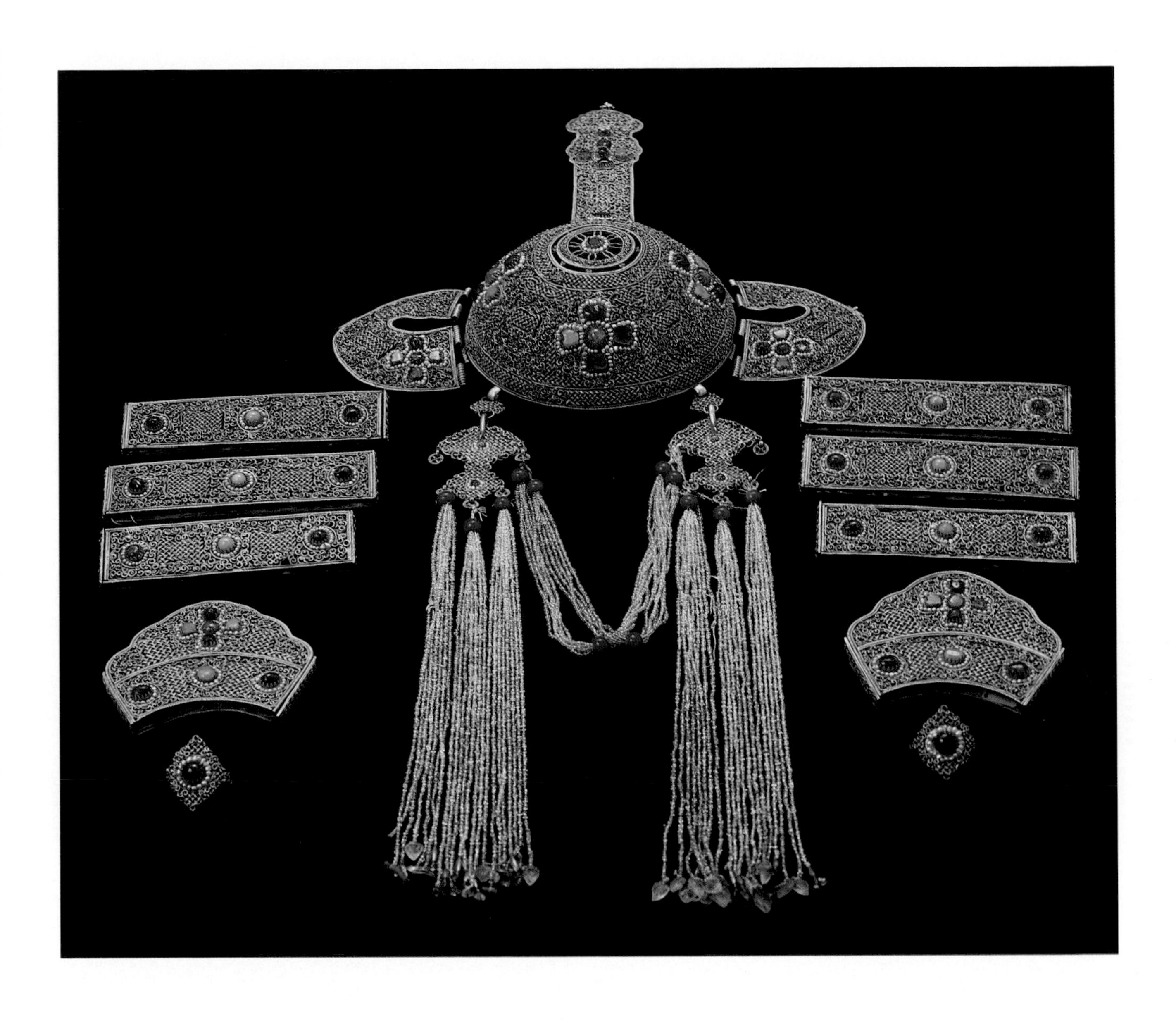

87. Головное украшение женщины. Золото, драгоценные камни. Музей изобразительных искусств
Woman's head decoration. Gold, precious stones. Museum of Fine Arts
Coiffure de femme. Or, pièrres précieuses. Musée des arts plastiques
Adornos de cabeza de la mujer. Oro, piedras preciosas. Museo de Bellas Artes

88. Головное украшение женщины. Золото, драгоценные камни. Государственный центральный музей
Woman's head decoration. Gold, precious stones. State Central Museum
Coiffure de femme. Or, pièrres précieuses. Musée Central d'Etat
Adornos de cabeza de la mujer. Oro, piedras preciosas. Museo Estatal Central

89. Головное украшение женщины национальности мянгад. Серебро, драгоценные камни. Государственный центральный музей
Woman's head decoration of the Myangad nationality. Silver, precious stones. State Central Museum
Coiffure de femme de nationalité miangat. Argent, pièrres précieuses. Musée Central d'Etat
Adornos de cabeza de la mujer de nacionalidad miangad. Plata, piedras preciosas. Museo Estatal Central

90. Головное украшение женщины национальности узэмчин. Серебро, драгоценные камни. Восточный аймак
Woman's head decoration of the Uzemchin nationality. Silver, precious stones. Eastern aimag
Coiffure de femme de nationalité uzemtchin. Argent, pièrres précieuses. Aïmag Dornod
Adornos de cabeza de la mujer de nacionalidad uzemchin. Plata, piedras preciosas. Provincia de Dornod

91. Головное украшение дарингангской женщины. Серебро с позолотой, кораллы. Государственный центральный музей
Head decorations of the Dariganga women. Gilded silver with corall. State Central Museum
Coiffure de femme dariganga. Argent avec dorure, corail. Musée Central d'Etat
Adornos de cabeza de la mujer de nacionalidad dariganga. Plata con dorado, corales. Museo Estatal Central

92. Буянтогтох. Головное украшение женщины. Серебро, драгоценные камни. Забханский аймак
Buyantogtokh. Woman's head decoration. Silver, precious stones. Zavkhan aimag
Bouyantogtokh. Coiffure de femme. Argent, pièrres précieuses. Aïmag Zabkhan
Buyantogtoj. Adornos de cabeza de la mujer. Plata, piedras preciosas. Provincia de Zabjan

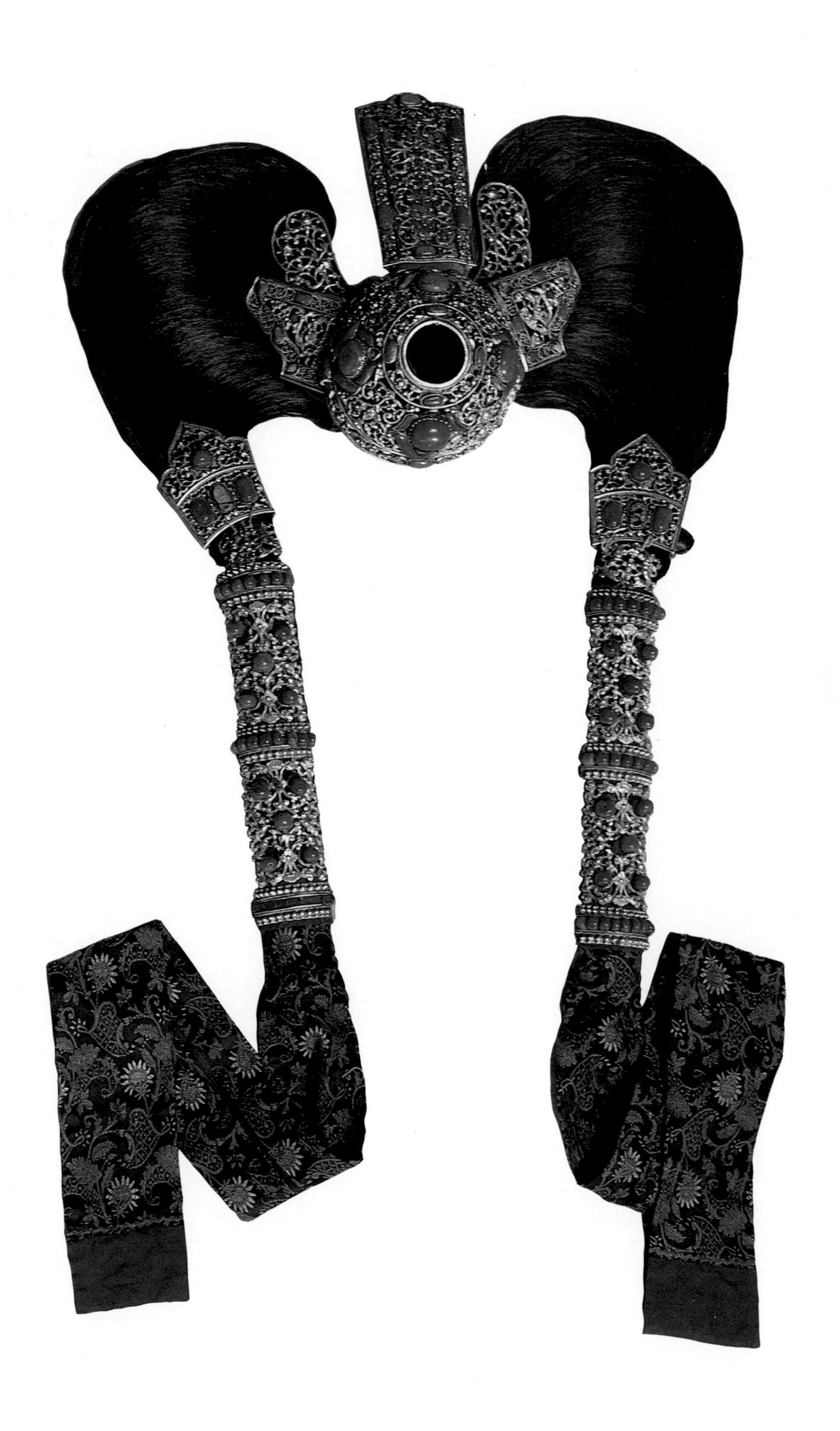

93. Буянтогтох. Головное украшение женщины. Серебро, кораллы. Хубсугульский аймак
Buyantogtokh. Woman's head decoration. Silver, corall. Hubsgul aimag
Bouyantogtokh. Coiffure de femme. Argent, corails. Aïmag Khübsügül
Buyantogtoj. Adornos de cabeza de la mujer. Plata, coral. Provincia de Jubsugul

94. Головное украшение. Серебро, драгоценные камни. Музей-резиденция Богдо-хана
Head decoration. Silver, precious stones. Bogdo Khan residential Museum
Coiffure de femme. Argent, pièrres précieuses. Musée-Résidence de Bogdo Khan
Adornos de cabeza. Plata, piedras preciosas. Museo-residencia de Bogdo-Khan

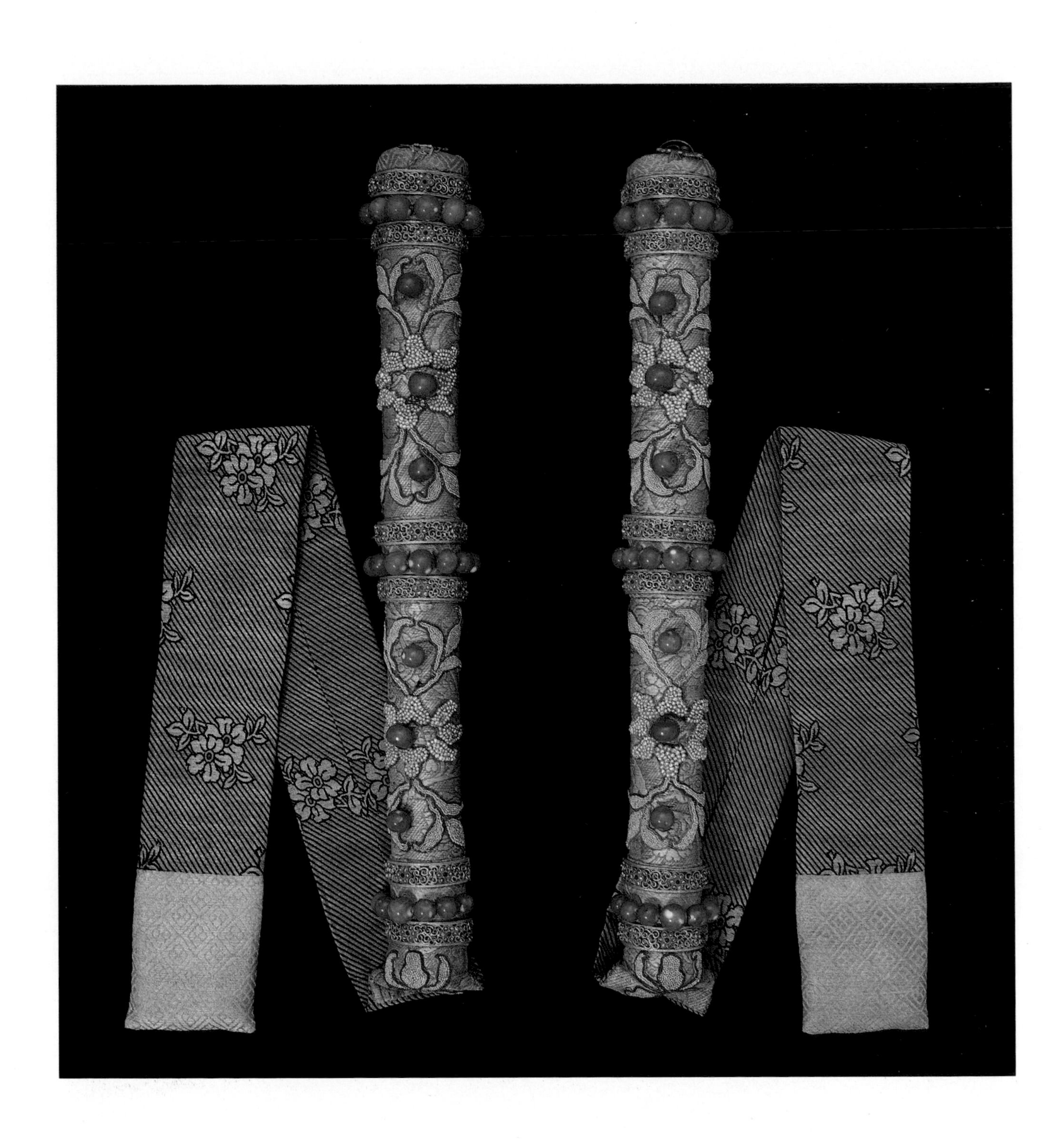

95. Накосник. Серебро, кораллы. Государственный центральный музей
Hair decoration. Silver, corall. State Central Museum
Coiffe de natte. Argent, corails. Musée Central d'Etat
Adorno para la trenza. Plata, coral. Museo Estatal Central

96. Головной убор, серьги, подвеска. Серебро, коралл. Государственный центральный музей
Headgear, ear-ring, pendant. Silver, corall. State Central Museum
Coiffure de femme, boucles d'oreille, pendentifs. Argent, corails. Musée Central d'Etat
Gorro, zarcillo, colgantes. Plata, coral. Museo Estatal Central

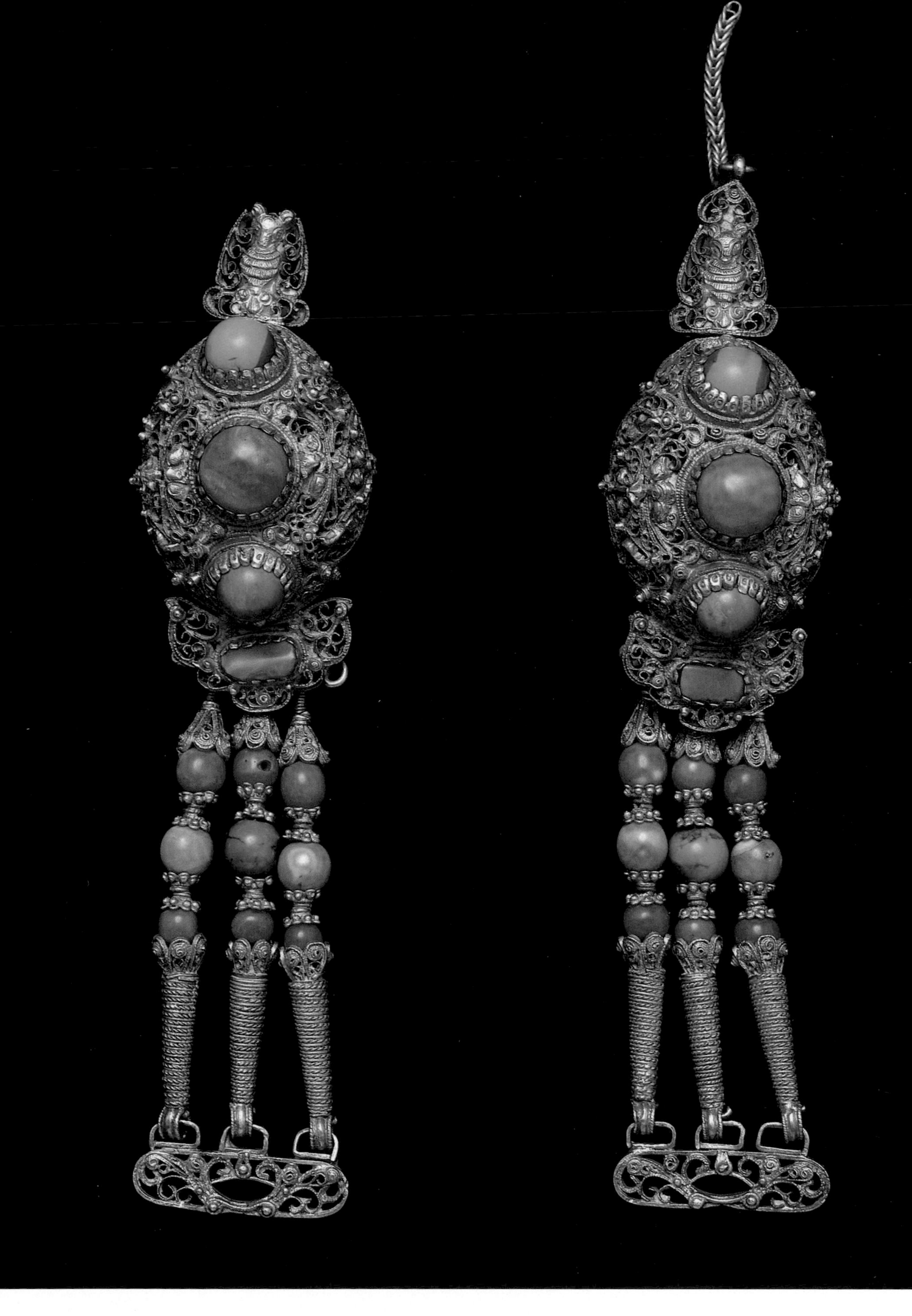

97. Серьги. Серебро, драгоценные камни. Государственный центральный музей
Ear-ring. Silver, precious stones. State Central Museum
Boucles d'oreille. Argent, Pièrres précieuses. Musée Central d'Etat
Zarcillo. Plata, piedras preciosas. Museo Estatal Central

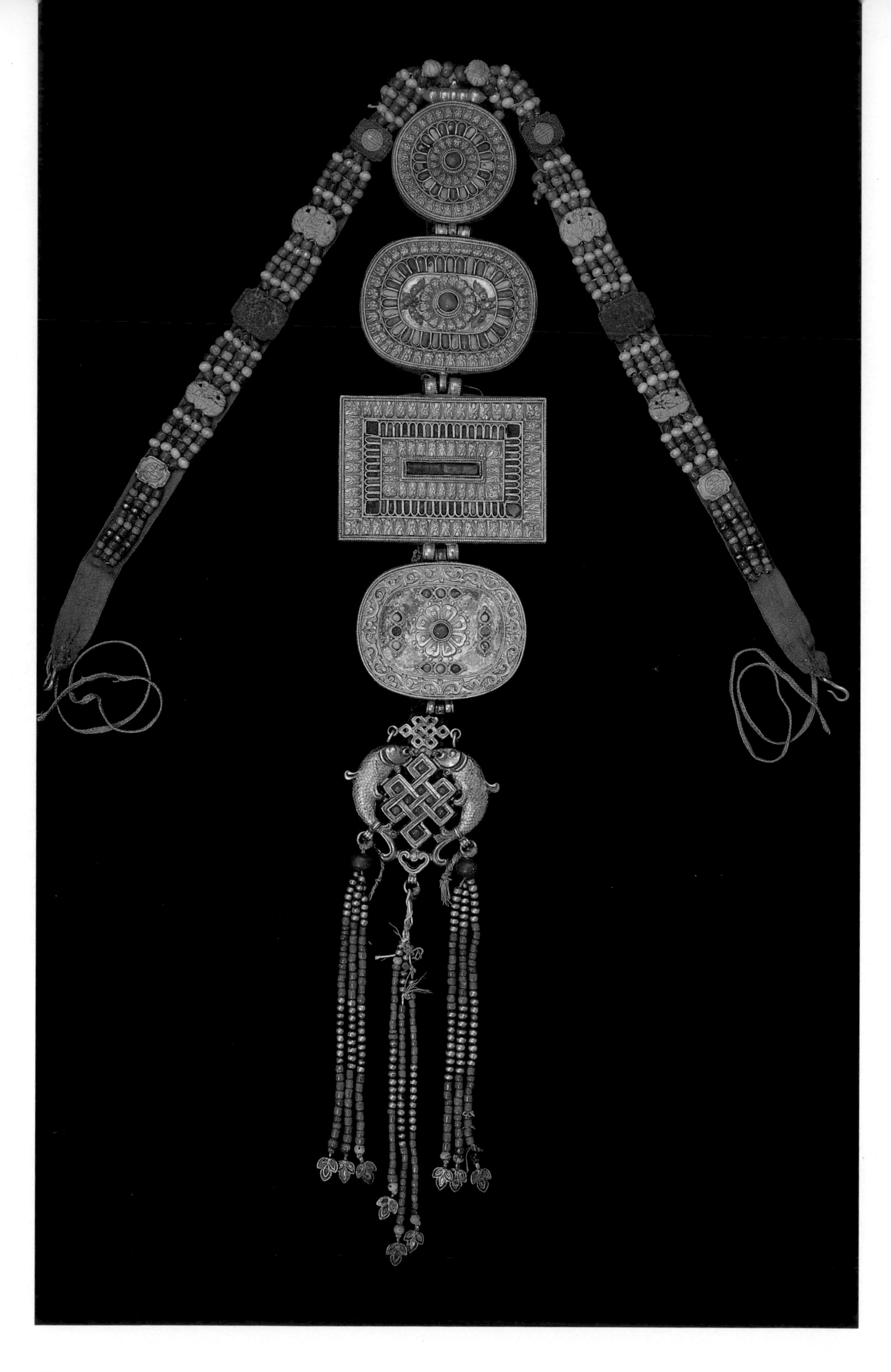

98. Подвески нагрудные. Серебро, драгоценные камни. Государственный центральный музей
Breast pendant. Silver, precious stones. State Central Museum
Pendentifs. Argent, pièrres précieuses. Musée Central d'Etat
Colgantes de pecho. Plata, piedras preciosas. Museo Estatal Central

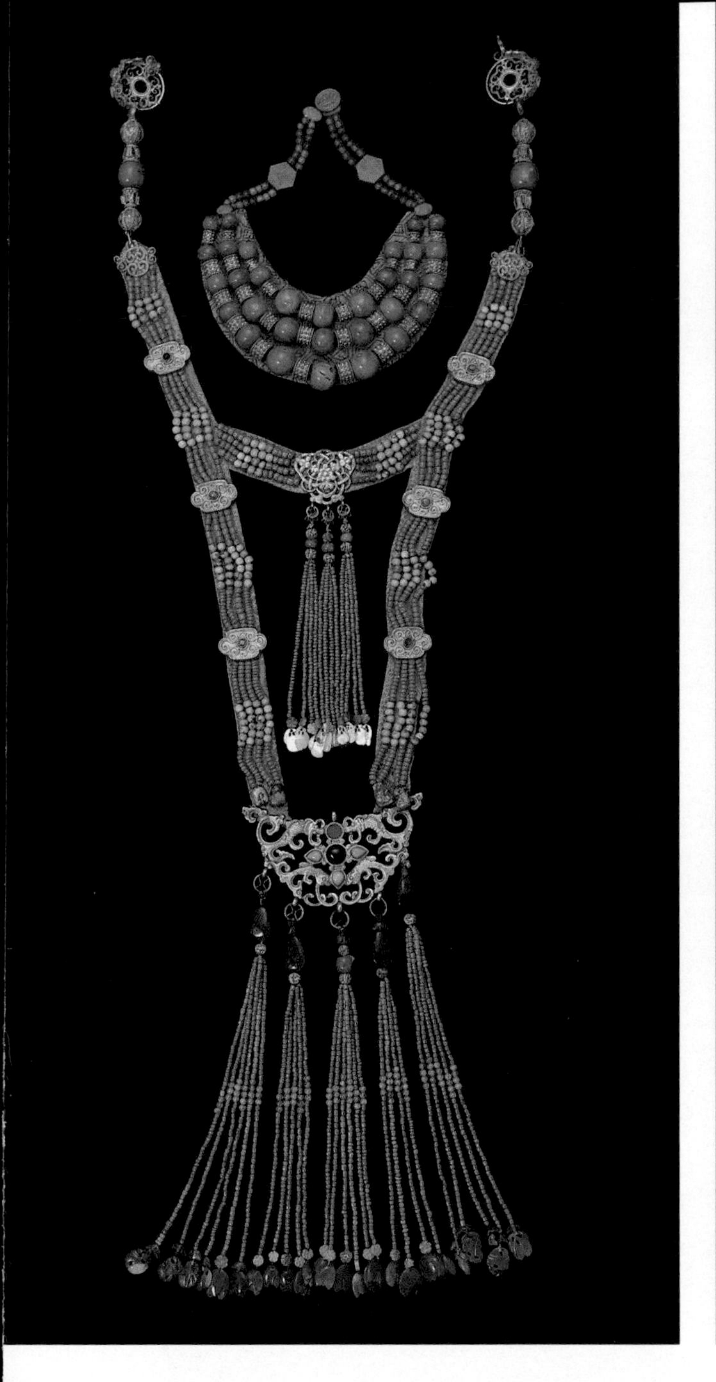

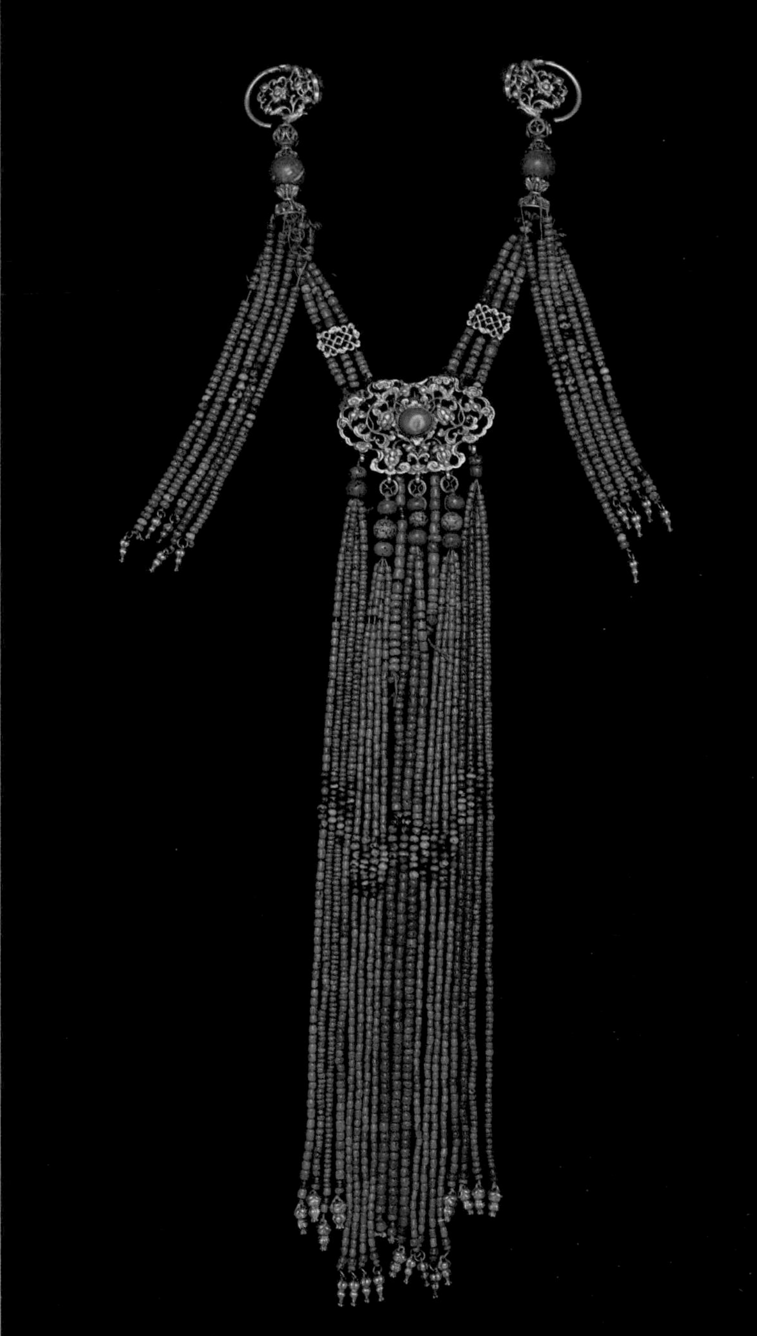

99. Колье и подвески нагрудные. Серебро, драгоценные камни. Государственный центральный музей
Necklace and breast pendant. Silver, precious stones. State Central Museum
Colier, pendentifs, Argent, pièrres précieuses. Musée Central d'Etat
Collar y colgantes de pecho. Plata, piedras preciosas. Museo Estatal Central

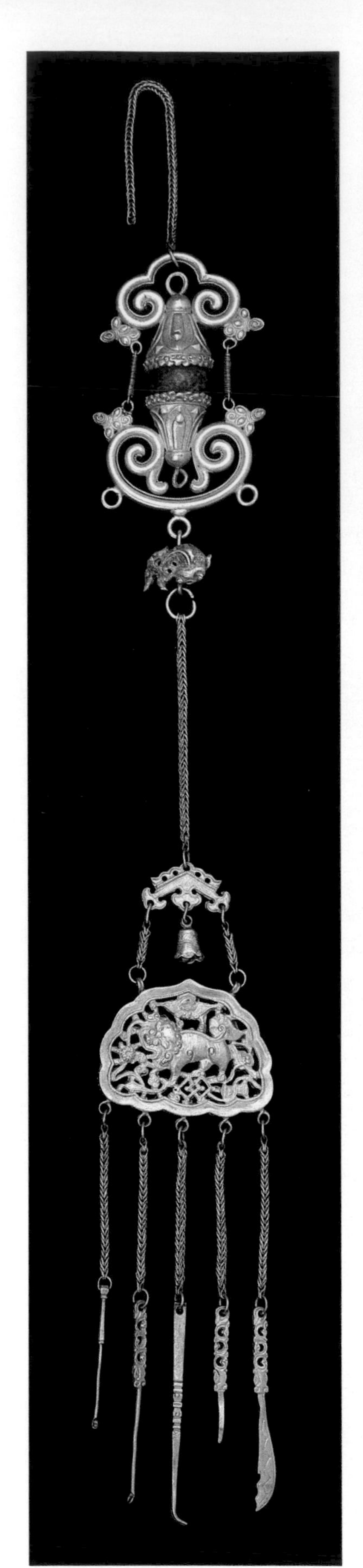

100. Маникюрные принадлежности, украшение женшин. Серебро, бирюза. Государственный фонд драгоценных металлов и сокровищ
Manicure accessories, women's jewellery. Silver, turquoise. State Fund of Precious Metals and Depository
Accessoires de manicure, parures de femme. Argent, turquoises. Fond d'Etat de métaux précieux et de trésors
Accesorios de manicura, joyas de la mujer, Plata, turquesa. Fondo Estatal de metales preciosos y tesoros

101. Женские украшения. Серебро, драгоценные камни. Южногобийский аймак
Women's jewellery. Silver, precious stones. South Gobi aimag
Parures de femme. Argent, pièrres précieuses. Aïmag Gobi du Sud
Joyas de la mujer. Plata, piedras preciosas. Provincia de Umnigobi

102. Балган. Небесное обиталище Амитаба. Дерево. Храм-музей Чойжин-ламы
Balgan. Heavenly residence of Amitabha. Wood. Choijin Lama Temple Museum
Balgan. Habitat celestre Amitaba. Bois. Musée de religion
Balgan. Claustro celeste Amitaba. Madera. Museo-templo de Choizhin lama

103. Трон Богдо-хана. Дерево. Музей-резиденция Богдо-хана
Bogdo Khan's throne. Wood. Bogdo Khan residential Museum
Trône de Bogdo khan. Bois. Musée-Résidence de Bogdo Khan
Trono de Bogdo-Khan. Madera. Museo-residencia de Bogdo-Khan

104. Спинка трона. Дерево. Музей-резиденция Богдо-хана
The back of the throne. Wood. Bogdo Khan residential Museum
Dossier du trône. Bois. Musée-Résidence de Bogdo Khan
Espaldar del trono. Madera. Museo-residencia de Bogdo-Khan

105. Ритуальный столик-ширэээ. Дерево. Музей изобразительных искусств
Ritual table–shirey. Wood. Museum of Fine Arts
Petite table rituelle–chiréé. Bois. Musée des arts plastiques
Mesita ritual-shiree. Madera. Museo de Bellas Artes

106. Четверо сильных. Дерево. Государственный центральный музей
Four-powerful. Wood. State Central Museum
Quatres forts. Bois. Musée Central d'Etat
Los cuatro fuertes. Madera. Museo Estatal Central

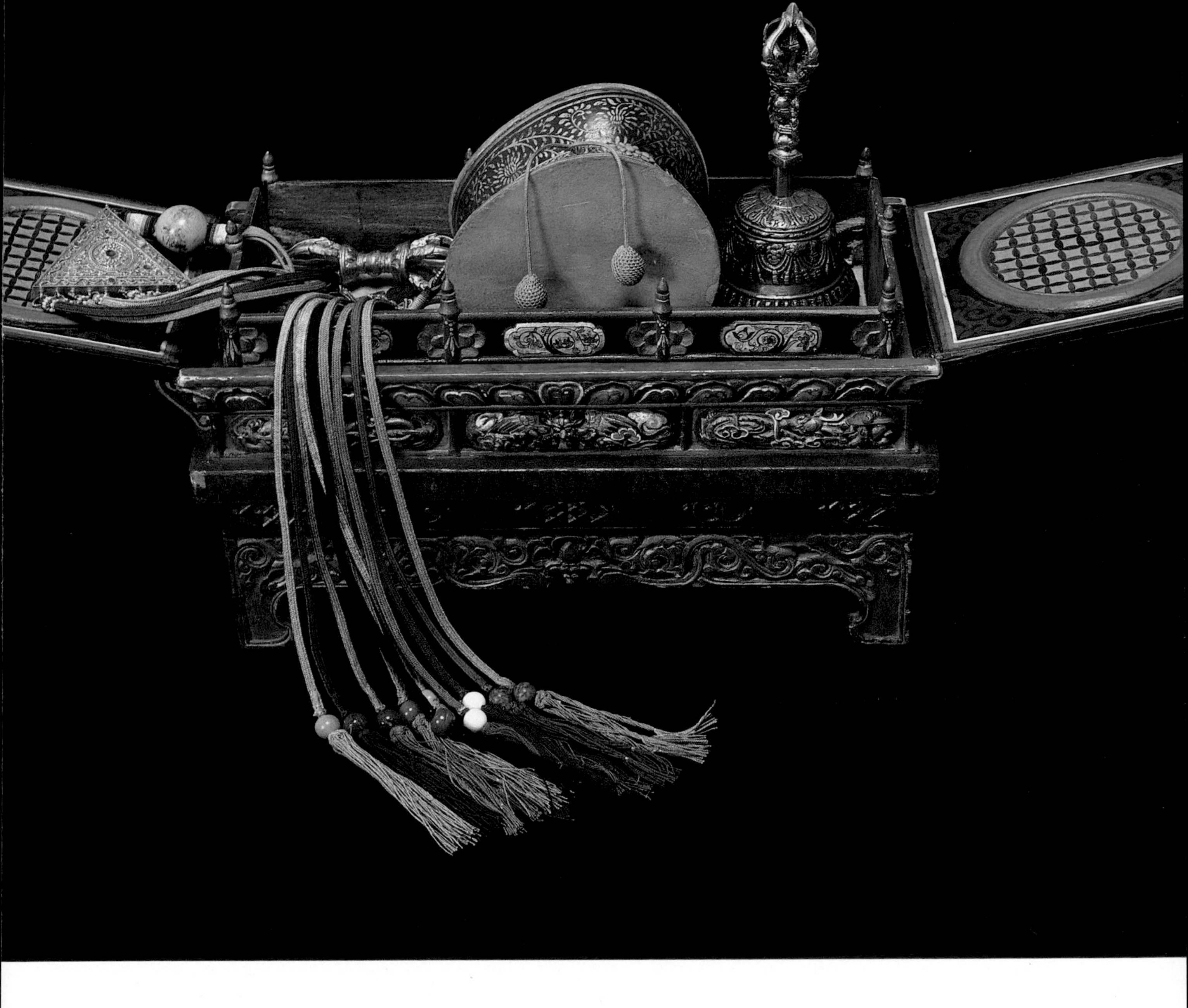

107. Ритуальный колокольчик, барабанчик, ваджра. Серебро. Музей-резиденция Богдо-хана
Ritual bells, drums, Wazra. Silver. Bogdo Khan residential Museum
Clochette, tambourette, vadjra rituelles. Argent. Musée-Résidence de Bogdo Khan
Campanilla ritual, tambor, vadjra. Plata. Museo-residencia de Bogdo-Khan

108. Барабан. Кожа, дерево. Музей изобразительных искусств
Drums. Leather, wood. Museum of Fine Arts
Tambour. Cuir, bois. Musée des arts plastiques
Tambor. Cuero, madera. Museo de Bellas Artes

109. Вожаки стада. Дерево. Музей изобразительных искусств
Leader of a Herd. Wood. Museum of Fine Arts
Reproducteurs du troupeau. Bois. Musée des arts plastiques
Cabestros de rebaño. Madera. Museo de Bellas Artes

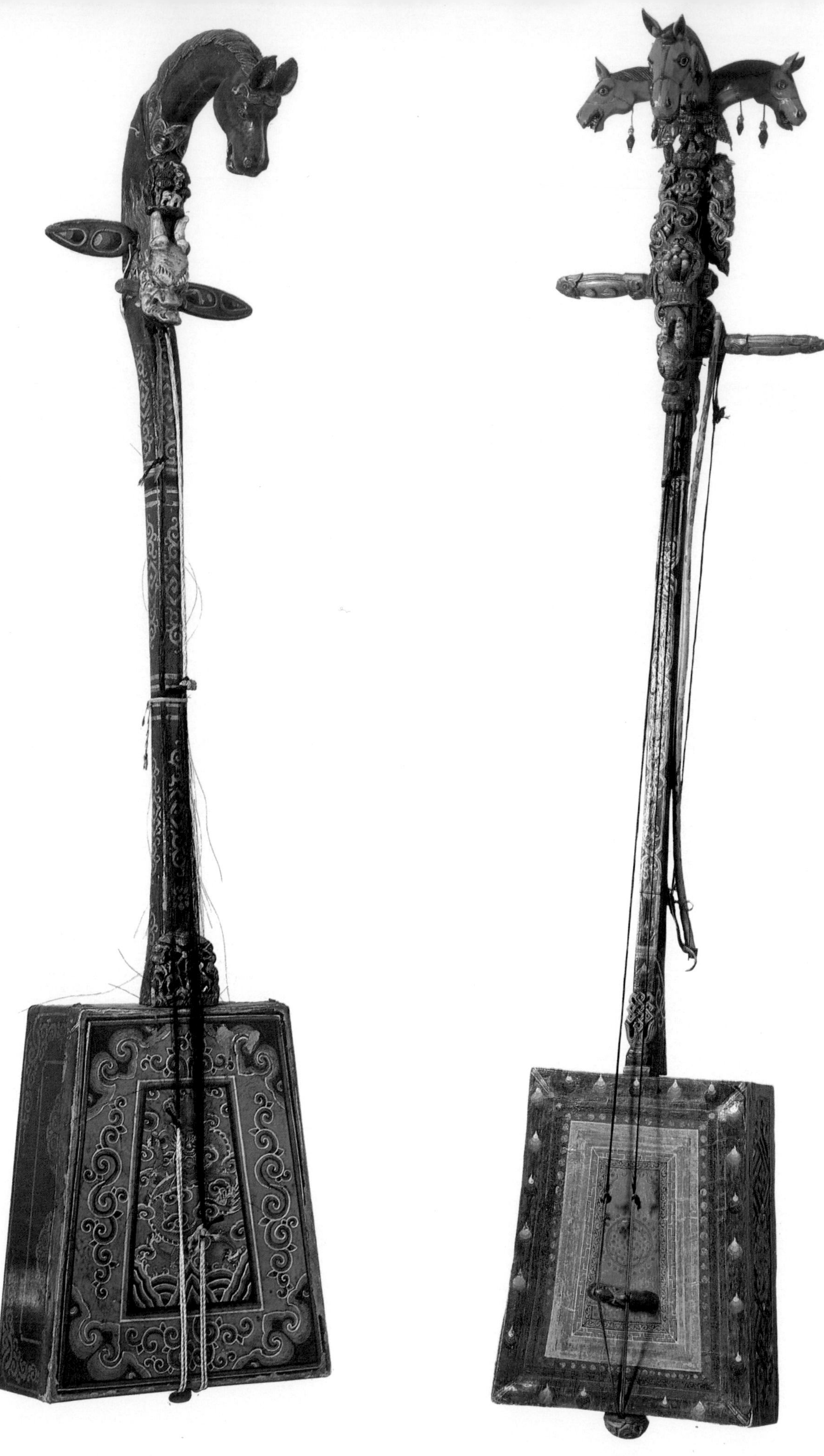

110. Морин хуур-народный музыкальный инструмент. Дерево. Музей изобразительных искусств
Morin Huur–national musical instrument. Wood. Museum of Fine Arts
Morin khour–instrument musical national. Bois. Musée des arts plastiques
Morin juur-instrumento musical nacional. Madera. Museo de Bellas Artes

111. Морин хуур, деталь
Morin Huur, detail
Morin khour, détail
Morin juur, detalle

112. Молитвенный цилиндр. Дерево, металл, Музей-резиденция Богдо-хана
Prayer cylinder. Wood, metal. Bogdo Khan residential Museum
Moulin à prière. Bois, métal. Musée-Résidence de Bogdo Khan
Cilindro de oraciones. Madera, metal. Museo-residencia de Bogdo-Khan

113. Национальная игра-хорол. Дерево. Музей изобразительных искусств
National game–Horol. Wood. Museum of Fine Arts
Jeu national–Khorol. Bois. Musée des arts plastiques
Juego nacional–jorol. Madera. Museo de Bellas Artes

114. Ц. Амаа. Богиня Ханд дин'аа. Вышивка. Восточногобийский аймак
Ts. Amaa. Goddess Hand din'aa. Embroidery. Dornogobi aimag
Ts. Amaa. Déesse Khand dinaa. Broderie. Aïmag Dornogobi
Ts. Amaa. Diosa Handa din'aa. Bordado. Provincia de Dornogobi

115. Ц. Амаа. Богиня Ханд дин'аа, фрагмент
Ts. Amaa. Goddess Hand din'aa. fragment
Ts. Amaa. Déesse Khand dinaa. fragment
Ts. Amaa. Diosa Handa din'aa. fragmento

116. Книги. Вышивка. Государственная публичная библиотека
Book. Embroidery. State Public Library
Sutras /livres religieux/. Broderie. Bibliothèque Publique d'Etat
Libros. Bordado. Biblioteca Estatal Pública

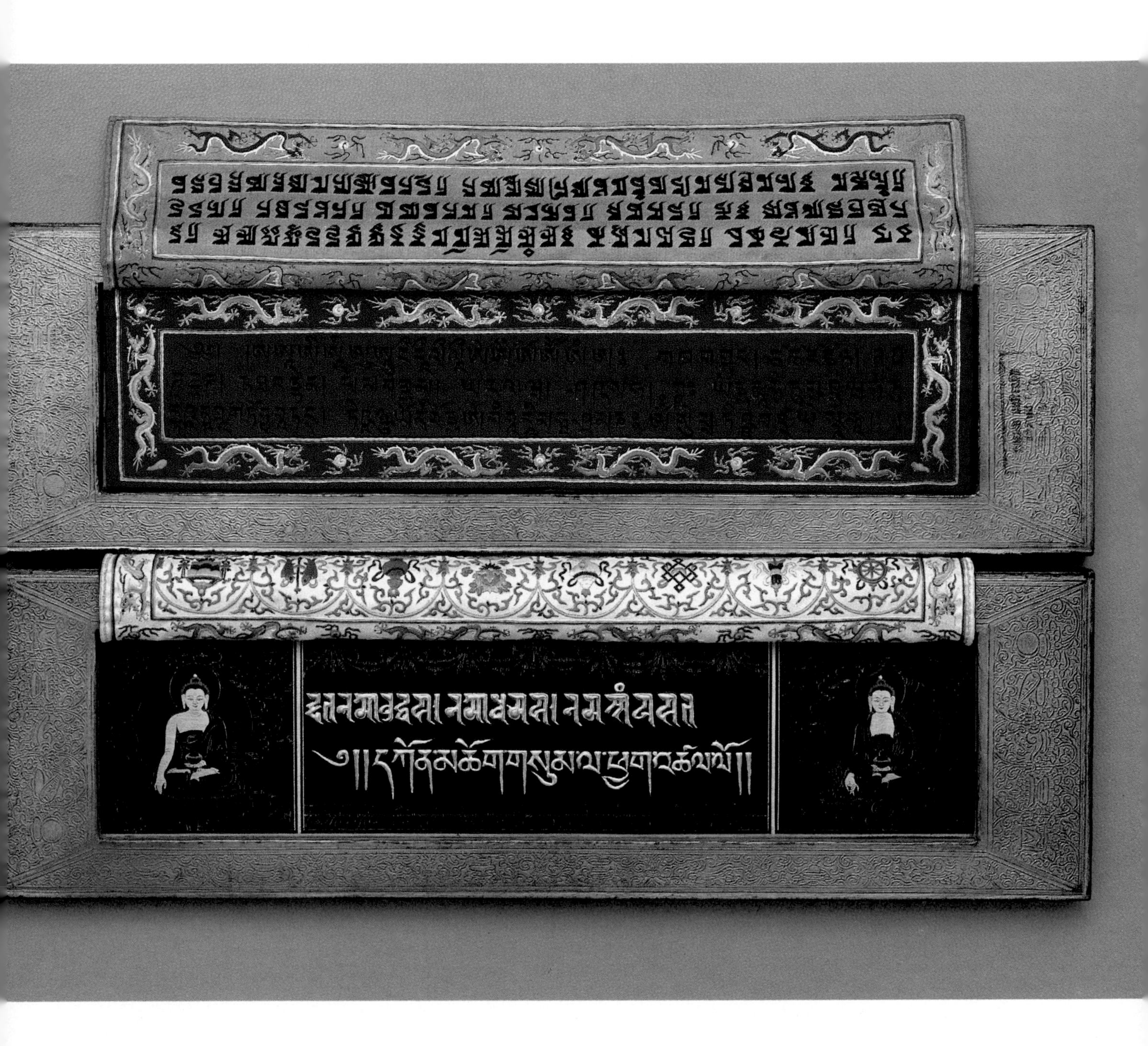

117. Книги. Вышивка. Государственная публичная библиотека
Book. Embroidery. State Public Library
Sutras /livres religieux/. Broderie. Bibliothèque Publique d'Etat
Libros. Bordado. Biblioteca Estatal Pública

118. Авантитул книги. Вышивка. Государственная публичная библиотека
Avante–title of book. Embroidery. State Public Library
Avant propos du sutra. Broderie. Bibliothèque Publique d'Etat
Tapas de libros. Bordado. Biblioteca Estatal Pública

119. Авантитул книги. Дерево. Государственная публичная библиотека
Avante–title of book. Wood. State Public Library
Avant propos du sutra. Bois. Bibliothèque Publique d'Etat
Tapas de libros. Madera. Biblioteca Estatal Pública

120. Барабанчики-дамра. Кость. Музей-резиденция Богдо-хана
Small drums–damar. Bone. Bogdo Khan residential Museum
Tambourette de damar. Os. Musée-Résidence de Bogdo Khan
Tambores-damra. Hueso. Museo-residencia de Bogdo-Khan

121. Кисеты для табака, табакерки. Полудрагоценные камни, шелк, парча. Музей-резиденция Богдо-хана
Tobacco-pouch, snuff-box. Semi-precious stone, silk, brocade. Bogdo Khan residential Museum
Blague à tabac, tabatières. Pièrres demi-précieuses, soie, brocart. Musée-Résidence de Bogdo Khan
Petaca para el tabaco, tabaquera. Piedras semipreciosas, seda, brocado. Museo-residencia de Bogdo-Khan

122. Табакерки и кисеты. Полудрагоценные камни, шелк, кораллы. Музей-резиденция Богдо-хана
Snuff-box and tobacco-pouch. Semi-precious stone, silk, corall. Bogdo Khan residential Museum
Tabatières et blagues à tabac. Pièrres demi-précieuses, soie, brocart, corails. Musée-Résidence de Bogdo Khan
Tabaqueras y petacas. Piedras semipreciosas, seda, coral. Museo-residencia de Bogdo-Khan

131970 SNUFF BOTTLES FROM CHINA. By Helen White. A lavishly produced catalogue of the collection in the Victoria and Albert Museum in London. Boxed. Fully illus. in color. 291 pages. Bamboo. 10x14. Import $149.95

123. Табакерки. Полудрагоценные камни. Музей изобразительных искусств
Snuff-box. Semi-precious stone. Museum of Fine Arts
Tabatières. Pièrres demi-précieuses. Musée des arts plastiques
Tabaqueras. Piedras semipreciosas. Museo de Bellas Artes

124. Седло, уздечка, кнут. Серебро, дерево, кожа, металл. Среднегобийский аймак
Saddle, bridle, whip. Silver, wood, metal. Middle Gobi aimag
Selle, bride, fouet. Argent, bois, cuir, métal. Aïmag Doundgobi
Silla, Bridón, latigo. Plata, cuero, madera, metal. Provincia de Dundgobi

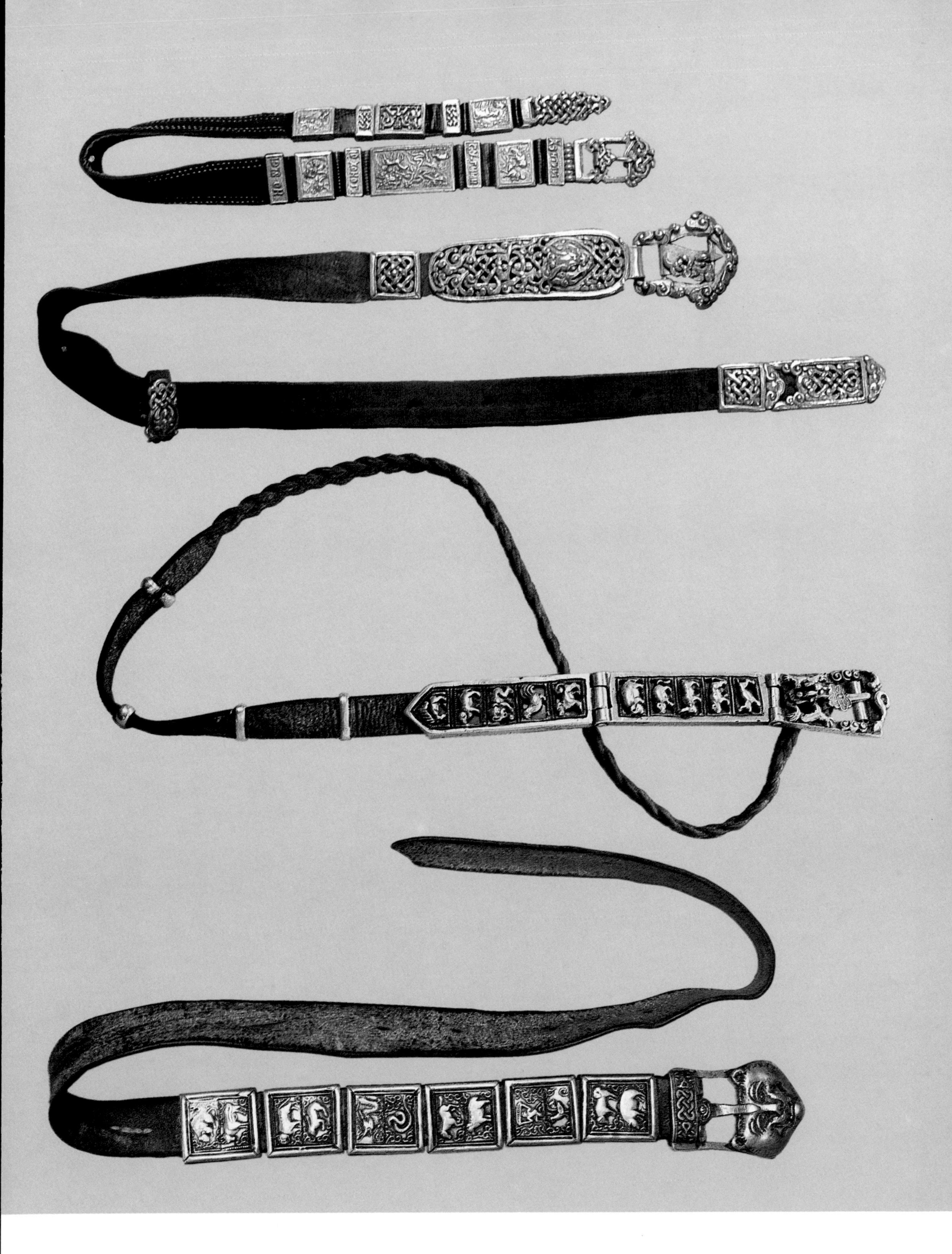

125. Ремешки. Серебро, кожа. Булганский аймак
Belts. Silver, leather. Bulgan aimag
Ceintures. Argent, Cuir. Aïmag Boulgan
Correas. Plata, cuero. Provincia de Bulgan

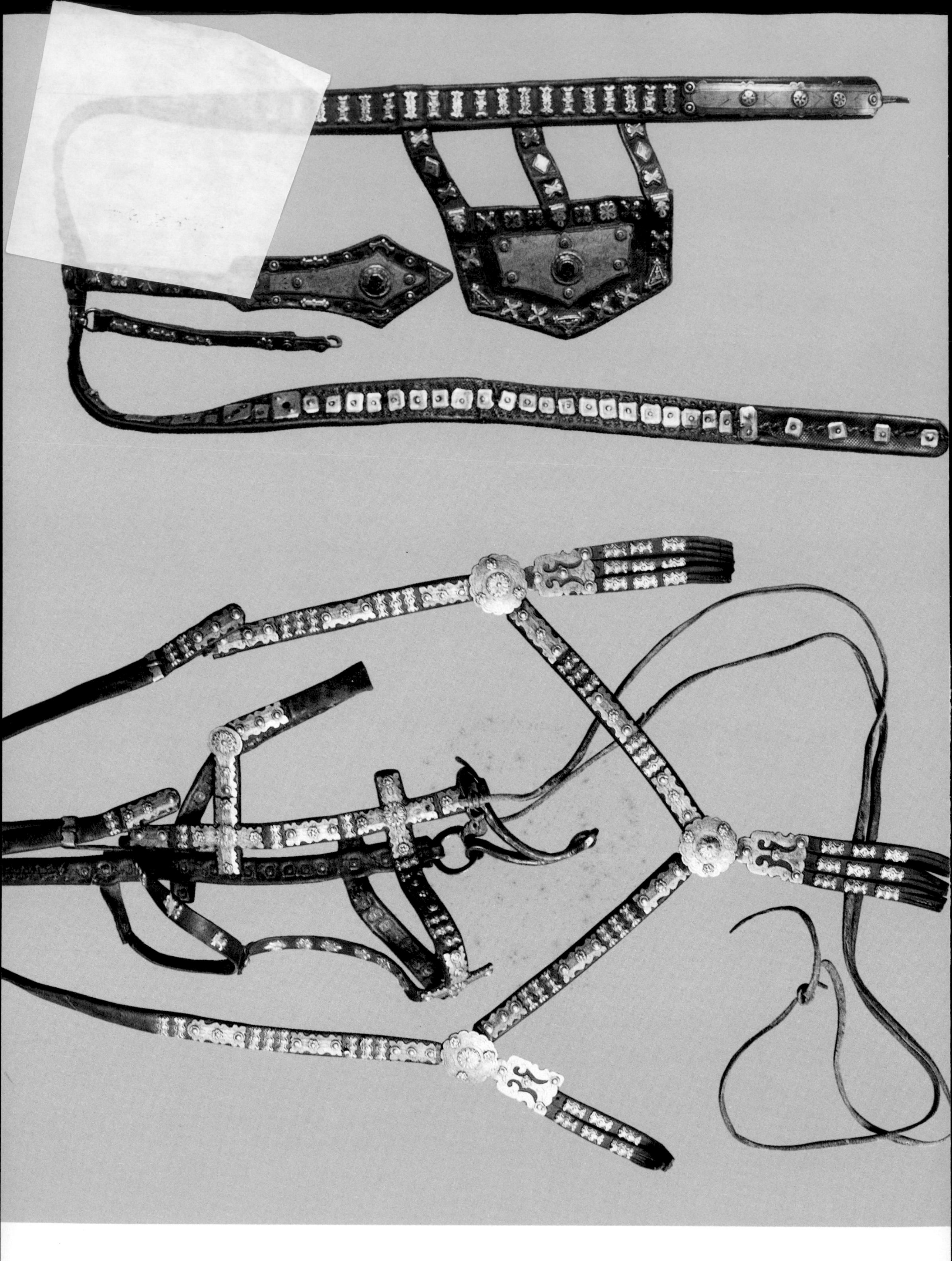

126. Пояс, шлея. Серебро, кожа. Баян-улгийский аймак
Belt, breast-band. Silver, leather. Bayan Ölgii aimag
Ceinture, cordes. Argent, cuir. Aïmag Bayan-Oulgui
Cinturón, ataharre. Plata, cuero. Provincia de Bayan-Ulgui

127. Доржцэдэн. Уздечка. Серебро. Восточногобийский аймак
Dorjtsetsen. Bridle. Silver. Dornogobi aimag
Dorjtseden. Bride. Argent. Aïmag Dornogobi
Dorzhtseden. Bridón. Plata. Provincia de Dornogobi

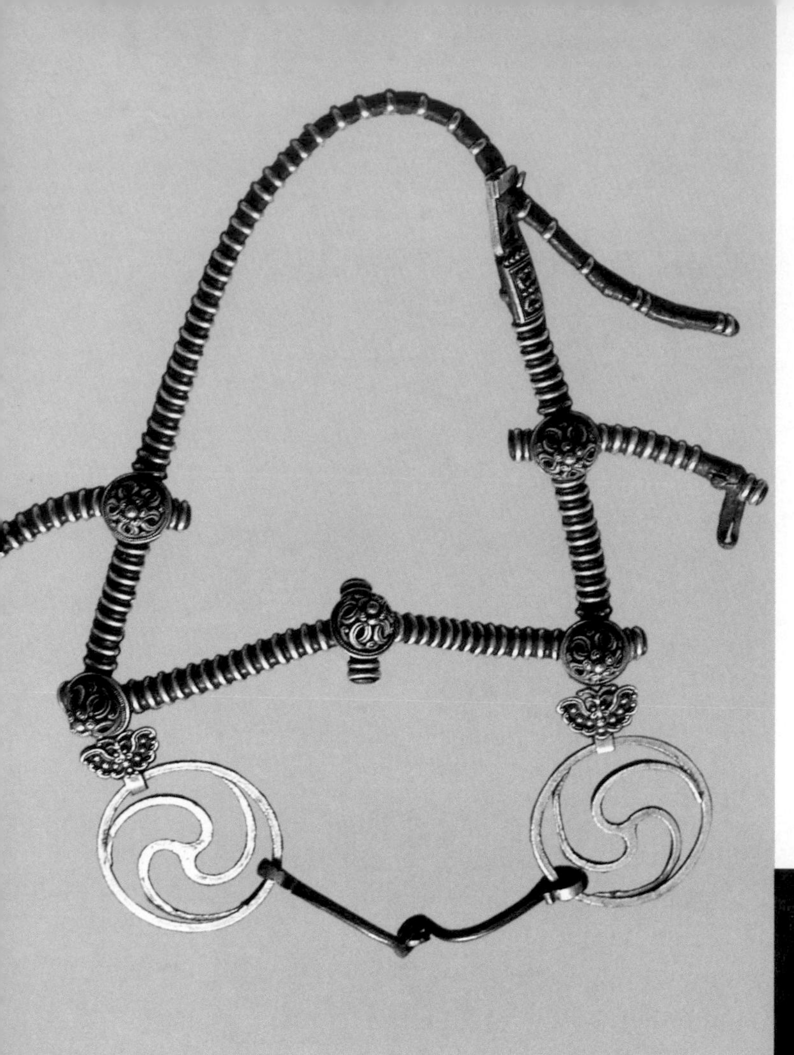

128. Уздечки, шлея. Серебро. Южногобийский аймак
Bridle, breast-band. Silver. South Gobi aimag
Bride, cordes. Argent. Aïmag Gobi du Sud
Bridón, ataharre. Plata. Provincia de Umnigobi

129. Колчан для стрел. Кожа, металл. Хэнтийский аймак
Quiver. Silver, metal. Hentei aimag
Carquoi pour les flèches. Cuir, métal. Aïmag Khéntii
Aljaba. Cuero, metal. Provincia de Jentii

130. Узда, удила /детали/ XIX в. Металл. Бурятский объединенный музей
Bridle, bit /details/. 19th Century. Metal. Buryat United Museum
Bride, freins /détails/. XIX siècle. Métal. Musée uni de Bouriatie
Rienda, freno /detalles/. Siglo XIX. Metal. Museo Unificado de Buriatia

131. Национальный костюм борцов. Серебро, кожа. Сухэбаторский аймак
Wrestler's costume. Silver, leather. Sukhbaatar aimag
Costume national des luteurs. Argent, cuir. Aïmag Sukhebator
Traje nacional de los luchadores. Plata, cuero. Provincia de Sujebator

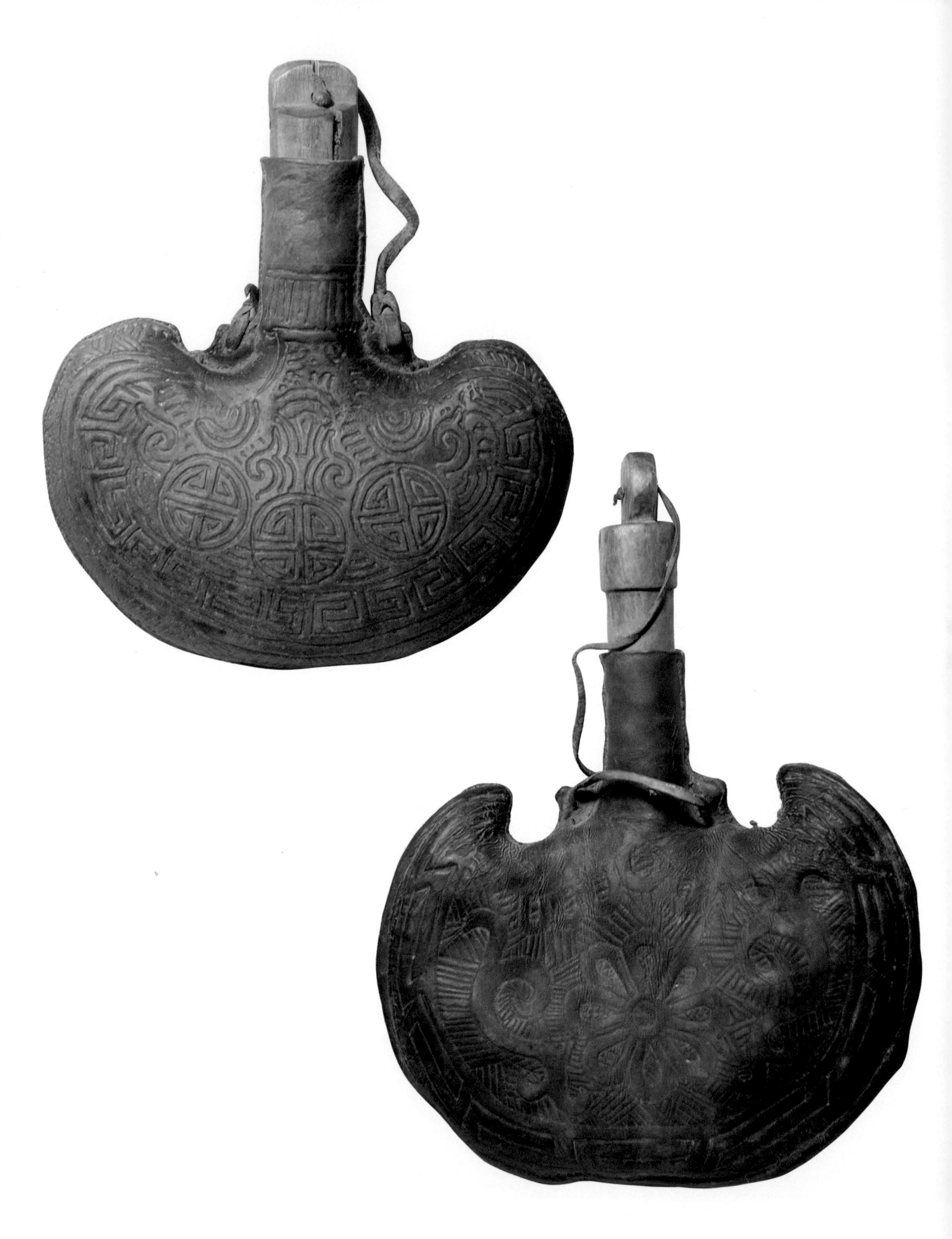

132. Фляги. Кожа. Государственный центральный музей
Flask. Leather. State Central Museum
Gourde. Cuir. Musée Central d'Etat
Cantimplora. Cuero. Museo Estatal Central

133. Тооно. Дерево. Музей-резиденция Богдо-хана
Toono. Wood. Bogdo Khan residential Museum
Toono. Bois. Musée-Résidence de Bogdo Khan
Toono. Madera. Museo-residencia de Bogdo-Khan

134. Лавир. Дерево. Государственный центральный музей
Lavir. Wood. State Central Museum
Lavir. Bois. Musée Central d'Etat
Lavir. Madera. Museo Estatal Central

135. Ритуальный столик. Дерево, металл. Музей-резиденция Богдо-хана
Ritual table. Wood, metal. Bogdo Khan residential Museum
Table rituelle. Bois, métal. Musée-Résidence de Bogdo Khan
Mesita ritual. Madera, metal. Museo-residencia de Bogdo-Khan

136. Дверь юрты. Дерево. Музей-резиденция Богдо-хана
A Gher's door. Wood. Bogdo Khan residential Museum
Porte d'yourte. Bois. Musée-Résidence de Bogdo Khan
Puerta de la yurta. Madera. Museo-residencia de Bogdo-Khan